dugs doos & dancing

Jim Douglas

EDITED BY LILLIAN KING

WINDFALL BOOKS

ISBN NO: 0 9539839 5 1

Dugs Doos & Dancing

ACKNOWLEDGEMENTS

I would like to express my gratitude to the following:

'The Miner' for providing the inspiration for this book
My family and friends for their encouragement and support
The Mining Heritage Society for spearheading the project and
The Coal Regeneration Trust
for funding the first edition
Lillian King, friend and publisher for making it all happen

The right of James Douglas to be identified as the author of this work
has been asserted in accordance with the
Copyright, Designs and Patents Act 1988
A catalogue record for this book is available from
The British Library

First published 2003
Reprinted 2004

Cover design by Belle Hammond/Artwork by Jim Douglas

Printed by Nevisprint Ltd, Fort William
Typesetting, layout and design by Windfall Books
Published by Windfall Books

Dugs Doos & Dancing

FIFE MINING HERITAGE GROUP

The Fife Mining Heritage Group was formed in 1995 after the closure of the Frances Colliery in Dysart. The colliery site would have made a wonderful base for a mining heritage museum, but despite fund raising and petitions, the scheme did not get off the ground. The need for such a museum, however, remains. The closing of Longannet Colliery has marked the end of deep mining in Fife, so the need to preserve our industrial history is paramount.

The aim of the group is to provide a home for a collection of artifacts, and a suitable venue for a research centre where students of mining heritage can share their experiences.

Mining can not be studied in isolation. Many associated industries were linked - railways, docks and brick making, for example. Without coal there would have been no Industrial Revolution; factories, steel making and other heavy industries could not have developed .

One of the fastest growing interests is in family history, and mining areas offer a rich field of research into local and social history . With his poems and pictures, Jim Douglas provides a fascinating insight into many aspects of that social history . The Fife Mining Heritage Group is delighted that Jim Douglas has made his material available to us.

Publication of the first edition of this book was funded by
The Coalfields Regeneration Trust and the
European Regional Development Fund

The storeman said he wis oot o canaries

CONTENTS

FOREWORD

Lord Ewing of Kirkford, Honorary President, Fife Mining Heritage Society

From *The Dear Green Place*, via *Ladies Choice At The Palais*, *Workin Doon The Pit*, *The New Teacher*, *The Guid Auld Days* and finally to *My Pretty Lady* Jim Douglas displays an exceptional ability to record it "as it was."

A quite remarkable man, Jim Douglas has an almost unique ability, combining the work of his great talents as a poet and a painter. They fully complement each other to the great benefit and enjoyment of the reader.

Appealing without doubt to his many fans throughout Fife, *Dugs, Doos & Dancing* will attract a much wider readership, stretching to countries such as Canada, Australia and New Zealand where many family friends now reside. They will identify with the events described, and the links with their own industrial past.

Workin Doon The Pit, with all its harshness, demonstrates the miners' backbreaking work. Other poems explain with pathos and yet with wry humour how, after the hours of toil, miners and their families relaxed and enjoyed what leisure time they had.

Jim Douglas has given a poignant picture of social life in mining communities. In doing so, he has helped to keep alive our wonderful mining heritage and, through his book, has given it new life .

Lord Ewing of Kirkford, November 2003

Through the talents of author and artist Jim Douglas, *Dugs, Doos & Dancing* brings to the reader an insight into life in years now long gone. Readers of the generation he describes will easily recognise the events related in poetry and paintings. Those of later generations will read and see at first hand life from those past years. Brought back quite graphically, it will give an understanding of bygone times, and of the humour underlying the hardship.

THE DEAR GREEN PLACE

There's a flaming sky
Where flamingos fly
And the black mosquitos whine
And the lions roar
And the vultures soar
And you're old before your time.
For I've wandered far
And I've followed a star
And I've crossed the stormy brine
But I'd rather be
By the rowan tree
At the dear green place of mine.
In the burning sand
Of a sullen land
Where the salamanders crawl
There's a water snake
In a crimson lake
As I wait for the night to fall.

For I've tasted free
Of the apple tree
And I've drank of all the wine
But now I long
For the blackbird's song
At the dear green place of mine.
And I knew of fear
When the lion was near
And the sun had nearly gone
And I hardly slept
While the wild beasts crept
Through the long night, to the dawn.

There are city cells
Where the poor man dwells
And it's easy to recline
But in my dreams
I see mountain streams
At the dear green place of mine.
I'm no longer young
All the songs I've sung
All the stories I have told
There was many a bend
To the rainbow's end
And I found no pot of gold.
But I've quenched the fire
Of a fool's desire
For the stars that always shine
Now I long to be
By the great North Sea
At the dear green place of mine.

And at last I'm going
While my blood is flowing
If this fever will subside
And the ship sits tall
At the harbour wall
As it waits for the morning tide.
Oh I've lingered on
And the years have gone
But my love was ever thine
If I cannot be
Set my spirit free
At the dear green place of mine.

LADIES' CHOICE AT THE PALAIS, COWDENBEATH

I'd no thought of romance
When she asked me up to dance,
Sayin Hiya, handsome,
Ma name is Rose.
This is ladies' choice, she said in a loud voice,
So, up on your feet then, Twinkle Toes.

She gripped me like a vice, sayin
Oh, this is nice,
Just relax and let me take the lead.
My feet hardly touched the ground
As she burled me around
And all the time gathering speed.

She was known as Big Rose,
About six foot, ah suppose
While I was only five foot, four,
But I was smitten by her charms
As she held me in her arms
And I danced like I'd never danced before.

She may have had her faults,
But could that girl waltz
And she liked me a lot, I could tell.
Yes, I'd to keep on my toes
to dance with Big Rose
And sometimes on her toes as well.
Then I heard her moan,
Would you like to see me home?

It's not much more than a mile.
And when I sat down for a rest,
I suppose I should have guessed,
She flung me o'er her shoulder with a smile.

I woke up the next day, a bit tired, I must say.
The mark of a kiss on my cheek.
And in my dreams I swear,
there were roses everywhere,
And I'll be back at the Palais - next week

THE SILVER SLIPPER

We sat at the fireside, recalled our romance,
The first time we kissed, the first time we danced
And that magic moment, we drank some champagne
Out of her silver slipper - we'd try it again.

And then I discovered it wis me that wis peyin
So I settled for a bottle of cheap Tesco wine.
Then finding the slipper became the next snag,
Dinny bother, she said, we'll jist hae a fag.

The slipper was lost, ah'm sorry tae say,
But she said, oh here, ma baffy will dae.
Ah wisni that keen as ah got aff ma seat
But ah ken for a fact, she'd jist washed her feet.

Ah sniffed it with caution, but it smelled like a rose.
A tear left ma ee, and dripped doon ma nose.
Ah must say the first sip didni taste bad
But then ah near choked, on an auld corn pad.

THE GRAND CIRCLE

One night at Kelty Gothenburg,
Famous for its fleas,
I saw the great Burt Lancaster
In the film *Trapeze.*
He'd muscles where ah'd never seen
Muscles grow before,
And thon Gina Lollobrigida
Thrilled me to the core.

And so I joined Carnegie Club
For a gymnast I would be.
Charlie Nesbitt, the instructor
Smiled and said to me,
'You want to be a Gymnast, son,
I'm led to understand,
But you'll never be a champion
Until you've done the Grand.'

Come over here with me, he said,
And I'll show you a star.
That's John O'Brien away up there
On the horizontal bar.
He'll show you the Grand Circle
So you can set your sights,
And maybe in a year or two
You'll reach those dizzy heights.

But you seem awfy thin tae me
And tho' you're standin near,
Yiv only tae turn sideways
And you almost disappear.
Whoever sent you to me
Must have been half-canned,
Unless you build some muscle
You'll never do the Grand.

Well, I practised on the Pommel Horse,
I practised on the Rings,
I practised on the Parallel Bars,
But dreamed of higher things,
Did press-ups on the dusty floor
Where I'd danced tae Jimmy Shand,
But I vowed that I would dance no more
Until I'd done the Grand.

The Horizontal Bar at last,
Eight feet above the floor,
Glistening like a Christmas tree,
It made my spirits soar.
For months I practised on the bar
And then my hopes were fanned.
It's now or never, Charlie said,
Tonight, go for the Grand!

Dugs Doos & Dancing

Remember all I've taught you,
Rub your hands with chalk,
Make sure of a good up start
Then throw to twelve o'clock.
Pause there for a second
Before your downward swing.
But by now I was so nervous
I'd forgotten everything.

My heart was beating like a drum
And tremors shook my knees,
But like a dream, Burt Lancaster
Appeared on his trapeze.
He gave me that big toothy grin
And then held out his hand,
And I jumped up and grasped the bar,
And at last I did the Grand.

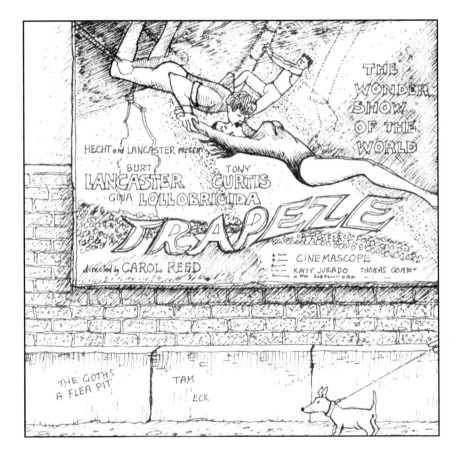

THE CRANE

My dame she hath a lame, tame crane
Whit kind o pet is that?
Its wan up oan the neebors jist
They've only got a cat

At least a cat goes oot at nicht
But no a lame, tame crane
What, pit a braw, big burd like that
Ootside there in the rain.

Ah kent that there wis somethin up
When she gave me that big hug
We're gittin a visit fae a stork
She whispered in ma lug

Then we're no barren after aw
A tear sprang tae ma ee
Ye mean, it's no a... Are yeh shair
Hoo happy we will be.

Then somethin tapped me oan the back
It really wis quite sair
This burd wi the great big beak
Wis sittin oan ma chair.

It looked jist like a vulture
Wi its wee red beady een
Ah wis very apprehensive
It looked sae bloomin mean.

My dame she hath a lame, tame crane
And ah am near a wreck
If ah kid catch it unawares
Ah'd try tae wring its neck.

If she had bocht a budgie
It micht hiv said some words
You'll easy clean a budgie's cage
But no a tame crane's turds.

It struts aboot like King Farouk
As if it owned the place
You talk aboot bein hen pecked
Yiv no had a crane tae face.

It gets the best o everythin
It's oan a special diet
You widni mind a lame, tame crane?
Ah'd like tae see you try it.

My dame she hath a lame, tame crane
No kiddin, ah would crane it
Ah nivver thocht ah'd git a yiss
Fir ma auld Home Guard bayonet

It's no as long as its big beak
But maybe ah kid throw it.
Ah hivni got the courage yit
Bit some day ah will show it.

Ah've loast a lot o' privacy
Ah went tae hae a shower
It wis sittin in the cabinet
And gied me sich a glower.

Ah thocht it wis the wife at first
Until it jabbed its beak
They say forgiveness is divine
So ah turned the ither cheek.

My dame still hath her lame, tame crane
Ah dinny mind it noo
For when ah come in fae ma work
It murmurs like a doo.

And cranes its neck and gees a wink
It really looks absurd
Who ever thocht ah ever kid
Git fond o that big burd.

THE VISIT

Good morning. Sir, yes it's me.
I'm Margaret Thatcher, the M.P
Now what is all this fuss about,
I'm here to sort the Miners out.
They want more money I am told,
Do they think I'm made of gold.
They should thank their lucky stars
I haven't clapped them behind bars.

Would I like to see below?
Of course, where any man can go.
I can too, I'm willing, ready.
I'm after all the Iron Lady.
Must I step into this cage?
Come now men and act your age.
Because I know you'll all agree
A cage is just the place for me.

We've reached the bottom now at last.
Take your time Sir, not so fast.
Proceed now at a slower pace.
I'm told I must see the coal face.
You're joking, I must walk a mile.
Don't bother Sir, to hide your smile.
It seems now I will miss my tennis,
Oh why did I not send you Dennis.

Well men, I see you're working hard.
No, I haven't got a union card.
Nothing beats some honest toil
And we depend on coal and oil.
Hard work has given you fine physiques
And Dennis says I wear the breeks,
So I can sympathise with you,
I'll see you'll all get what you're due.

Sir, I must whisper in your ear
Where is the ladies' room down here?
What's that you say, are you insane,
'Git clappit doon behind that stane.'
I've trouble hiding my disgust.
I'm already covered with coal dust.
But in a way I'm not surprised,
Your pits are needing modernised.

Yes, I'm impressed with all I've seen.
Now lead me to your nice canteen.
A miner working on his knees
Said 'We just hae some bread and cheese.'
But surely you must have some wine?
'Naw, a drap o water does us fine.'
I must say that's a healthy diet,
But forgive me if I do not try it

Sir, take me to the top again.
I've seen enough of working men.
I must say they're a bit uncouth,
And I've developed quite a drouth.
I feel just like a wilted flower
And what I'd give for a good shower.
Oh, I can join the men you say,
Is that a dare? Show me the way.

I'm in the shower, oh what bliss,
To think the working men get this.
I feel my spirits start to soar,
Haven't you seen a girl before?
The men are modest though, I hope,
Won't hide behind their bars of soap.
I must say they seem thrilled to bits.
They don't know yet, I'll close their pits!

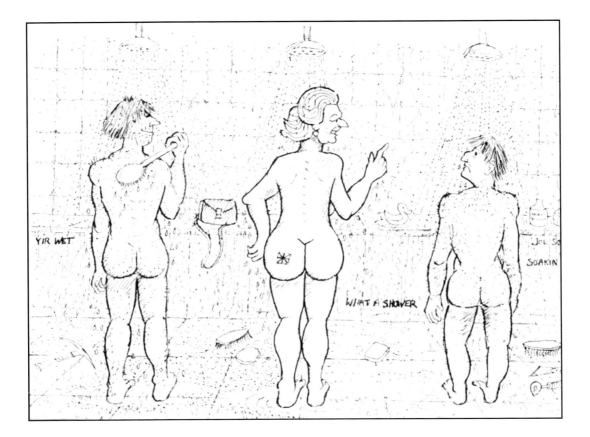

THE PIT CANARY

Pair wee canary in a cage,
A singing star withoot a stage,
And yet yir no consumed wi rage
But seem content,
And doon here at a tender age
Yir life is spent.

Is that really aw yeh need,
A drap o watter and some seed.
Oor lives are hingin bi a threed
And you're sae calm.
Ah ken yir fae a hardy breed
Jist as ah am.

Ever since the roof came doon
We hae been sittin in this tomb.
Wir hardly left wi elby room
And noo ah've cramp.
And wid we no be ower the moon
If we'd a lamp.

Noo ah suppose ah'll miss the game,
And Blue Brazil are playin at hame.
When Eck runs oot they'll roar his name,
"C'mon big Ming."
At Central park the maist will claim
That he's the king.

If we are spared you'll come wi me
And in ma hoose ah'll set yeh free,
For surely burds wir meant tae flee,
Yiv earned that.
Ah promise yeh, tak it fae me
Ah've no a cat.

At hame there's jist the wife and bairn.
They'll be wondrin hoo wir farin,
Ma een are wet but ah'm no carin,
Nae wan can see,
And they'll be gled that you are sharin
This yoke wi me.

At times ah've been too fond o booze,
Sae often at the tossin lose.
Too many oors spent wi ma doos,
Ah well admit,
But oh ah think ah've peyed ma dues
Doon this dark pit.

Ah hear a sound if ah'm no wrang.
Ma mates are here, noo jist keep calm.
They've moved the stanes so sing yir sang.
We'll sin be oot.
Aye Tam, what's taken yeh sae lang
Yeh ugly brute?

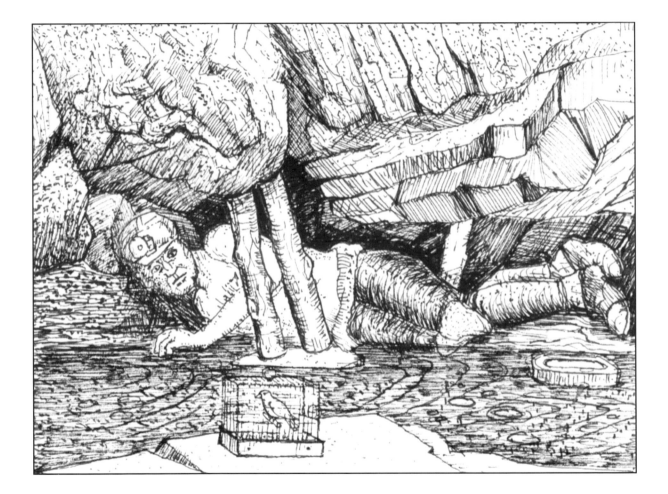

WORKING DOON THE PIT

Workin doon the pit, workin doon the pit.
Wi a cough and spit, workin doon the pit.
Dinnae get much pey, that's aye been the wey.
Like ma Dad and Dai, workin doon the pit.

Burry like a mole, burry like a mole,
Searchin for the coal, workin doon the pit.
Water tae yir waist, coal dust tae yir taste,
No for man nor baist, workin doon the pit.

Hear the timbers creak, hear the timbers creak.
Fairly maks yeh seek, workin doon the pit.
Is this day yir last or the day yir gassed.
The danger's never past, workin doon the pit.

Where are departed mates, where are departed mates?
Beyond the pearly gates, no workin doon the pit.
Or are they below, near tae where we go.
Hell's no far awoh, workin doon the pit.

Seldom see the sun, seldom see the sun,
When ma shift is done, workin doon the pit.
But even snaw and rain help tae keep me sane
Till ah'm back again, workin doon the pit.

Rarin tae retire, rarin tae retire.
Sittin at the fire, no workin doon the pit.
Crawl oot fae the hole, done diggin for coal.
Nae mair hiv tae thole, workin doon the pit.

LASSODIE

There's a wee place called Lassodie
Tae the sooth o' Dichindad,
Where half the folk are happy
And half the folk are sad.
And half work on the surface
And half work doon below,
And you can see the pit heid rising
Above the miner's row.

Ma faither wis a miner,
Ma faither's faither tae.
The pits were guid enough for us
Ah often heard them say.
And they are good enough for you
So doon ye go, ma lad.
You'll shed some tears for the first ten years
And then it's no too bad.

Ah wis giv'n a pick and shovel
And a helmet wi a lamp,
And a wee canary in a cage
To warn me o black damp.
They even had a cage for me
To tak me doon the shaft.
Noo in ma dreams I see coal seams,
Some folks wid think me daft.

The roof is always creakin,
Ah've got the miner's wheeze.
The blue scars on ma shooders
And the knobbles on ma knees.
But oh the pals ah made there,
It made it aw worthwhile.
Ah forgot ma fear when Tam wis near
And gave me that big smile.

Then one day the roof fell in
And missed me by a fit,
But buried Tam fir ages,
A miner in his pit.
Nae mair he'll see the sunshine,
Nae mair he'll feel the rain.
They pronounced him deid at the pit heid
Then buried him again.

The coal owner is a nice man,
As long as you touch yir cap.
But though he seems a nice man,
He'll work ye till ye drap.
He sits there in his big hoose
Sippin at his wine.
We long for the day when his foonds give way
And he jines us in the mine.

Chorus

Wha wid be a Miner?
Wha wid dig for coal?
Wha wid tunnel in the grund
Jist like a bloomin mole?
Even tho they tell yeh
Its better than the dole.
Wha wid be a Miner?
Wha wid dig for coal?

BILLY THE GOAT
(a *tragic tale*)

A stranger strollin near a pit
Came oan a breathin hole
And wonderin hoo deep it wis
Threw in a lump o coal,
Then pit his hand up tae his lug
Tae listen fir a soond.
Nae splash or thud or squelch o' mud
Came fae the undergroond.

He tried a muckle boulder next
But nae soond as before,
By noo his shirt wis soakin wet
Wi sweat fae every pore.
Then he foond a wagon wheel,
It seemed tae weigh a ton.
At last he drapt it in the hole,
Sayin tae hissel, weel done.

Then he heard a noise behind
Near where the wheel hid been,
And comin at him like a train
The biggest goat he'd seen.
It must hiv missed him by an inch
As doon the hole it went.
The man sat doon wi tremblin ligs,
His energy aw spent.

Soon a fermer wandered ower,
Enquired aboot his goat.
Yeh hivna seen Big Bill, he said,
He his a pure white coat.
A champion at aw the shows
Five feet high at least.
He widnae hurt a fly, he said,
An awfy canny beast.

A goat, a goat, the man replied,
His face noo turnin red.
Ah saw a cuddy and a coo
But no a goat, he said.
Are you awricht the fermer asked,
Yeh dinny look too weel.
Billy canny be that far,
Ah chained him tae a wheel.

Soon the fermer sauntered aff
Still lookin fir his pet,
And ah'm led tae understand
He's lookin fir him yet.
The stranger hurried fae the scene
And got aboard a train.
Next time ah see a hole, he thocht,
Ah'll leave it weel alane.

THE PIT BIT

In a braw gless case yeh sit.
Imagine that, an auld pit bit.
Who pit yeh there, aye some half-wit
Ah've nae a doot.
He's even changed yir name and writ
That you're a boot.

They've polished yeh, yiv got a shine,
And oan a sodger you'd look fine.
But wir yeh ever doon a mine
There's some will ask.
Tae please the punters yeh will find's
A thankless task.

Ah see yir case has got a lock.
Yeh must be precious, that's a joke
They micht hae offered yeh a sock
In case it's cauld.
Aye, noo the pig is oot the poke,
Wir gittin' auld.

There's the curator, ah'll enquire
When they'll be lettin' yeh retire.
Yeh shid be sittin' at the fire,
No pit oan show.
You that kent the mud and mire
And miners' row.

Weel, ah suppose it's jist oor age.
Ah niver earned a decent wage.
Noo we are part o history's page,
And they see fit
Tae show some minin heritage,
An auld pit bit.

THE LANDOWNER

Don't speak tae ma Daddy in that tone.
There's twa o us and you are oan yir oan.
Ye say ye own this land,
Aye, full well ah understand
But don't speak tae ma Daddy in that tone.

Don't call ma Daddy yir man,
Ma Daddy's got a name, he's called Dan.
Ma Daddy's got a name
And ah'm prood tae hiv the same.
Don't call ma Daddy yir man.

Did I catch that fish that ye spy?
Did I catch that fish oan the fly?
No, a miner up fae Durham
Gave me a bramel worm
And I caught the fish that ye spy.

Yi'll send fir the Polis, ye say.
The Polis shid hiv better things tae dae.
For you may own that hoarse
But dae ye own the Polis Force,
For you'll send for the Polis, yeh say.

Did I steal the flooer that I hold?
Don't tell me, it's worth its weight in gold.
Oh, ah see, you'll let it pass
Since ah pu'ed it for ma lass
But I still stole the flooer that I hold.

You'll let us aff this time, ye say,
As long as we leave richt away.
Well, ah've enjoyed the crack
But, be sure Sir, ah'll be back
Tho yiv let us aff this time, ye say.

Did I want a job, son, ye ask?
Sir, is there a man behind that mask?
You've thocht it ower a bit
And ye like a lad wi grit.
Did I want a job, son, ye ask?

What sort of duties wid ah have?
What! Helpin' ye in and oot the bath?
No, ma Dad works doon the mine
And that will dae me fine
So ah will say guid day Sir, and we're aff.

A CHANCE ENCOUNTER

Aye. It's no a bad day, a bit nippit.
At least you've a scarf roond yir lugs.
No, ah widnae go clappin ma whippet,
He's no the maist docile o dugs.

Walk wi me if you've the notion.
Ah dinny own the Pit Road,
And that's a wee puddick yir squashin,
Only a toff wid say toad.

Yeh thocht yeh wid hae a bit donder
While yir Shoffer is blawin up a tyre.
Deh yeh think o the miners ah wonder
When yir warmin yir bum at a fire.

Come and ah'll show yeh the cages.
Nae tigers and lions ah'll admit.
Yi'll see hoo we earn oor wages
And ken why they ca it a pit.

These bairnies are meetin their Daddy.
Tae you aw the men look the same.
But there's Ecky and Erchie and Paddy,
Aye Mister, they've aw got a name.

You'll look doon yir nose at the miner.
A nose that knows only fresh air.
Yet yi'll no find a bunch o men finer,
So dinny you gie me that stare.

Ah've no had your fine education,
Awoh at St Ondries or such,
And it's unlikely a man o your station
Wid end up here pushin a hutch.

It maybe seems strange tae a stranger
Why we choose tae work in the pits.
Yeh jist see the dirt and the danger
And men that wear tackety bits.

Yeh don't hear the jokes and the laughter
Or sit wi yir mates haen a beer.
Ah tell yeh, if there's a hereafter,
It's miners ah'd want tae be near.

So dinny you gie mi yir patter.
Yeh ken nothin o struggle and strife.
Hiv yeh lain at a low seam in water,
Hiv yeh done a day's work in yir life.

Noo yeh tell me you're the new owner.
Why did yeh no say richt awoh.
Ah suppose that ma joab is a goner,
Jist say the word and ah'll go.

Oh, ye like a man wi some spirit?
As lang as ah work hard. Ah see.
This is Trotsky and Lenin, ma ferrets
Dae ye fancy a rabbit fur tea?

THE PIT RAT

Ah, mister rat, it's you again.
What dae yeh want in ma domain?
Ma company, ah'm no sae vain
Tae think it's that.
Efter aw, ah'm a man
And you're a rat.

Could it be, ah'm haen ma piece.
Ah ken yir awfy fond o cheese
And ah'll no tell yeh ony lees,
Ah like it tae.
And noo yeh want tae share wi me,
What can ah say.

Dae you no think yiv got a cheek.
Yir een are bricht, yir coat is sleek,
And look at me, ah'm past ma peak
And racked wi pains
And aye sae gled tae tak a seat.
And rest ma banes.

You dinny burry tae git coal.
It's me that's nearer tae a mole.
You dinny hiv tae sell yir soul
Tae mak a wage,
Or keep a pair canary jailed
In that wee cage.

And yet ah'd miss yeh, mister rat.
Yir no a dug, yir no a cat,
But sae often we hae sat
And been at ease.
Yir no a pet ah hiv tae pat
Or try tae please.

Intelligence yeh dinny lack,
And yit yeh nivver answer back.
Ah've no the pooer tae gee the sack
Or wages dock.
Jist ma gaffer can dae that
And he's a joke.

Doon here it canny be much fun,
Wi boulders fawin that weigh a ton.
At least you hiv the breath tae run,
And it's sae dark.
You nivver git tae see the sun
Or hear the lark.

So here's yir cheese yeh patient beast
Tae me a morsel, you, a feast.
Tae help yeh live, it is the least
That ah can dae.
Nae mair yir broo wi hunger creased,
Noo oan yir way.

THE PIT PONY

Ah've been a pit pony the maist o ma days,
Noo they've telt me that ah can retire.
Ah canny believe it, ah'm set in ma ways,
Nae thocht tae rise up ony higher.

Ah hardly remember the fields, wir they green?
When ah wis nae mair than a foal.
Wi never a thocht that below me, unseen,
Ah wis standin oan mountains o coal.

Ah ken massel that ah'm no really fit.
Aw the bones in ma body are sair
The man who thocht ponies should work in a pit
Shid try it to see hoo he'd fare.

Like maist o the miners ah've dust oan the lung
And minin means takin a chance,
And sometimes ah've trouble in passin ma dung,
Yit ither times too much at wance.

I try tae pit aw these things oot o ma mind,
And life is nae too bad attaw,
And the miner's the finest o man that yill find,
A guid freend when yir back's tae the waw.

Tho some o them, aye, can be a bit coarse,
No too fond o gaffers or such,
But maist o them joke and work like a horse,
Like ah dae when pu'in a hutch.

Wan gaffer they said had a prominent lip
That hung oot fae under his nose.
Enough for a dug tae tak a strong grip
And drag it richt intae a close.

Many a day ah thocht wis ma last
Like the time the stane fell oan ma heid,
And Jock the canary has stopped me being gassed,
Aye, he's been a guid pal indeed.

Well, aw yeh pit ponies ah bid yeh farewell,
Mind where there's life there is hope.
Ah'll miss yeh auld freends, mair that ah can tell
But ah'm goin aw the way tae the top.

There's a van waitin for me. Knackers it says;
It's a gey funny name for a ferm.
But aw the rats heap oan it nothin but praise,
And say that ah'll come tae nae herm.

THE MINER'S SON

Don't go doon the pit, Dad
Don't go doon the pit.
Ye ken yir often coughin
And dyin aw day tae spit.
Yir lookin jist fair wabbit,
You've dug enough fir coal,
They cage ye like a rabbit
Then work ye like a mole.

It's time ye wir retired, Dad,
There's white hairs in yir heid.
Yir pals are wi their pigeons,
The pals that arenae deid.
You've done near fifty years, Dad,
It's time they let ye oot.
I've kept yir reel fae rustin
And the Gairney's fu o troot.

You've pneumoconiosis, Dad,
My, that taks a bit o sayin
Ah ken it maks ye short o breath
Bit it's better some than nane.
Is there mention o yer pension yit?
You've sent them mair x-rays,
Enough tae paper half the pit,
That's what the Doctor says.
I'll sin be left the schule, Dad,
Then ah kin tak yir place.
Yir een are kind o wet, Dad,
It fairly spiles yir face.

I'd rather be a jiner
But the startin pey's nae guid,
And Mother says it's your fault
She had sae many kids.
Ye'd a funny education, Dad,
Ye said it wisnae free.
Ye got it at the tossin schule,
Wherever that may be

Wance ye won a fiver, Dad,
I've often heard ye boast.
We dinnae hear sae often tho
Of aw the times ye loast.
Ye used tae play the cornet tae
Wi the Colliery Brass Band
And marched wi them on Gala days,
Ye didnae half look grand.

Bit noo ye havenae got the puff
Tae play wi them again
Bit ah will learn the cornet, Dad
Tae carry oan the name.
There's plenty work at hame, Dad
Yir whippet's jist haud pups.
We kin sell a pair o them
Tae buy Maw her new cups,
Ah'll help tae dig the gairden
Noo you're a wee bit lame.
Yir aye that gled tae see the snaw,
So aw the gairdens look the same

Oor Billy needs a haircut,
It's hingin ower his een.
Tam tore his troosers oan the fence,
They're fastened wi a peen.
Ma bike is needin sorted,
The wan wi three speed gears.
There's plenty work at hame, Dad,
Tae keep ye goin fir years.

It's awfy dark doon there, Dad,
Yir day must be like nicht.
Ye said yir bones wir sair, Dad,
Are ye share ye'll be a'richt?
Dae ye hiv tae work in water?
Why are the roofs sae low?
Ah widnae send a dug doon there,
Why should ma Faither go.

Kin ye see aboot ye there, Dad?
You've only that wee lamp.
Ye say there's rats the size o cats,
Ah hope there's nae black damp.
See and mind and eat yir piece,
There's butter, jam and cheese.
Ye must be gled tae tak a brek
Fae workin oan yir knees.

You've come up fae the pit, Dad,
Ah've waited here fir oors.
Ah slept a wee while in the field
Among the bonny flooers.
Come oot fae the cage, Dad,
It's time ye haud yir tea.
They shouldnae hiv tae carry ye,
"Dae ye hear me, Dad? It's Me."

THE NEW MEENISTER

We've got a brand, new Meenister
Ah've asked him in fir tea
Noo, laddie mind yir manners
So yeh won't embarrass me.
The Meenister is no long back
Fae some funny foreign land
But mak nae mention o his nose
Ah jist hope ye understand.

Yeh see it's awfy big and red
He got bittin by some fly
So dinny sit and stare at it
You'll really hiv tae try.
Ah've niver seen a nose sae big
In aw ma born days.
Ah'm sorry fir the Meenister
It fairly spiles his face.

Oh, there he's chappin at the door
Noo, mind whit you've been telt
If yeh dare tae let me doon
Jist mind yir fir the belt.
Good afternoon, Sir, Meenister
Yir welcome tae oor hoose
This is oor wee Alistair
He's quieter than a moose.

Hiv a nice wee sandwich
That's guid ham oot o Lows
Oh, ah forgot tae ask yeh
Dae yeh tak milk in yir NOSE?

THE BUBBLY BAIRN

Hi, ah'm ma maw's big, bubbly bairn
And what's mair, ah'm no carin
Ah'm the bubbliest bairn yir liable tae meet
There's nothin' ah like better than
Tae greet, greet, greet.

If ah greet long enough, they'll lift me oot ma pram
And gie me a dummy teat covered wi jam
Fir ah've aye been a sucker fir onythin sweet
It's amazin whit they gie ye, if ye greet, greet, greet.

If ah greet long enough, ah kin git ma nappy changed.
Lovely, soapy water and ma bits and bobs arranged
That Johnstons baby pooder is awfy hard tae beat
It's amazin whit they gie ye, if ye greet, greet, greet.

Aw the bairns that dinny greet git thon Farleys Rusks
Tae bite thru wan o them you'd need a set o tusks
So ah hing oan fir cornflakes or even shredded wheat
It's amazin whit they gie ye, if ye greet, greet, greet.

Ah wis never wan fir toys, except ma teddy bear
For he aye gits the blame fir that puddle oan the flair
If ah've ony Dolly Mixtures he gits wan as a treat
Onything tae stop him tryin tae greet, greet, greet.

Ah hate that bonny bairn wi the dimple oan his chin
Even when he's sleepin he's got that silly grin
They call him baby, waby, as they tickle his wee feet
Aw that sappy stuff wid mak ye greet, greet, greet.

He' s a b... guid pair o lungs oan him,
Ye'll hear ma faither swear
But tho he girns and grumbles,
He'll no git aff his chair
Will somewan lift that bairn
Or he'll waken half the street
If it wis left tae him he'd let me
Greet, greet, greet .

THE LOCHGELLY

On the day ah started skil
Ah wis there against my will,
And the next day ah'd tae go tae skil again.
But it wisnae bad at first
And for knowledge ah'd a thirst,
Until they moved me up tae Miss McLean.
There, ah couldnae dae ma sums
And ma fingers wir aw thumbs
Ma writin wis the worst she'd ever seen
So she reached intae her drawer,
'Dae yeh ken what this is for?'
And glared at me wi murder in her een.

Chorus: O h, ma teacher's got a belt,
It's guid for me, ah'm telt,
And the mair ah git The better ah will be.
It's no workin yit because
Ah'm as donnart as ah was,
Ah wonder what the matter is wi me?'

It came doon wi sic a force
It wid fell a ferm horse,
Never mind a laddie only nine.
Oh, she thocht she had me beat
As she sent me tae ma seat,
But ah muttered tae massel, oh what a swine.
Yet ah'd loved her at the start
And she nearly broke ma heart
But she never ever gave ma love a chance
She wid yell oot 'stay behind'
And in nae time ah wid find
That the last thing in her mind wis a romance.

Chorus

There wis wan time that she missed
And it wrapped aroond ma wrist,
And left a lump that she wis bound tae see,
But she didnae seem tae care;
Could it be she's no aw there?
They shid lock her up and throw away the key.
Then ah went and telt ma Maw,
And she went and telt ma Paw,
But both o them wir loath tae interfere.
Are yeh sure yir daen yir best?
Or if you are bein a pest
Ah'll gee yeh sic a clout aboot the ear.

Chorus

Noo, at last ah've left the skil,
And by jings, ah've had ma fill.
If that wis Education, count me oot.
It wis like being in a jile,
Even worse than castor ile,
Wi a teacher that wis dafter than a coot.
Well, the belt wis made by Dick,
And Dick better be quick,
If in Lochgelly we shid ever meet.
For a micht gie him a taste
O the belt aboot ma waist
For aw the times he helped tae gar me greet

THE SCHOOL BULLY

Hi, ah'm the school bully
Aye, this is fir real
Ah'll bash ye, ah'll smash ye
Ah'11 mak ye no weel
For ah'm Skinner Erskine
Ah'm rough and ah'm raw
So hand ower yir sweeties
Or ah'll break yir jaw.

They caw me a baw heed
And that suits me fine
Ma mither's a tartar
Ma faither's a swine
Ah've had nae affection
Or even some praise
So ah'll be a bully
The rest o ma days.

Hi, ah'm the school bully
Aye, this is fir real
Ah'll grab ye, ah'll nab ye
Ah'll mak ye no wccl
Yir jist a big sissy
So stey close tae me
Yir needin protection
It disni come free.

Ah'm maistly jist muscle
Ah'm big fir ma age
Ah'm fu o frustrations
Ah'm rackit wi rage
When ah hit somebody
They ken they've been hit
Will you get yir foot oot
Fae under ma bit.

The teachers aw tell me
Noo, dae what yir telt
And say ah need guidance
Noo they've loast the belt
So, ah see the Heedie
He's wee and he's fat
Ah fairly look forrit
Tae oor weekly chat.

Hi, ah'm the school bully
Aye, this is fir real
Ah'll mar ye, ah'll scar ye
Ah'll mak ye no weel
For ah'm Skinner Erskine
Ah'm rough and ah'm raw
If you think ah'm tough
Then you shid see ma Maw.

DON'T GO DOON THE PIT, DAD

Oh don't you go down the pit. Daddy,
The coal cellar's still fu o coal.
Ah ken that yeh wear moleskin trousers,
But that disnae mean yir a mole

Ma Daddy's a miner at Kelty,
Ma mither works at the pit heid,
Yet aw that we get for oor breakfast
Is drippin dript on a bit breed.
For tho' they're baith workin in Kelty,
We niver get oot o the bit,
And the talk roond the table at tea-time
Is aw aboot the bloomin pit.

Then Maw she goes aff tae the bingo
And Dad he is goin tae the dugs;
If only he widnae advise us
That gamblin is only for mugs.
He caught me wan day at the Tossin,
Ah thocht he wis havin a fit.
'Is this what ye dae wi yir money
While ah work like a horse doon the pit?'

Every year we wir sent tae the Totties
The weeist wans did half a stent
Ah thocht ah wid never recover,
For days ah wid walk aboot bent.
If the tractor broke doon it wis rapture
And sic a relief just tae sit
But still there wis nae real escapin,
Ah sat near a big tottie pit.

Ma Dad said wan day in the gairden,
It's time yeh wir haunlin a spade.
Then he sat there smokin his Woodbine
Yer makin a braw job, he said.
As ah dug awoh he wis puffin,
Frae each Woodbine anither wis lit.
Oh son, yeh micht think this is hard work
But it's nothin compared tae the pit.

In time ah ran aff tae the army,
In the Black Watch agreed tae enlist,
And so ah signed up as a sodger
Before back at hame ah wis missed.
But ah'm no too ta'en wi the army,
There's nothin but polish and spit.
Oh why did ah no stay in Kelty
And follow ma Dad doon the pit?

At last ah got back hame tae Kelty
And married a lassie sae braw,
And noo we hiv twa bonny bairnies,
And life is nae too bad attaw.
But awthing goes roond in a circle,
Ah think as ah lace up a bit.
For the wee laddie says tae me, Daddy
Do you hiv tae go doon the pit?

THE PIT PROP

In Lochore oan holiday
A man went for a drink.
He sat doon at a table
And geed a mate a wink.

Tam, yeh ken as weel as me,
Ah've travelled ower Fife,
But that man there's the ugliest
Ah've seen in aw ma life.

Keep yir voice doon will yeh, Eck,
His pal whispered tae him.
Big Rab's a local hero
Tho he's a wee bit dim.

His face wid curdle milk, Eck said.
He's uglier than ma wife.
Ahve niver seen a better case
For a plastic surgeon's knife.

Wan ee is turned tae the east,
The ither tae the west.
Yid think his broo had met a bull
And came aff second best,

And it's a funny colour,
Mair like a chunk o ham
Compared tae him yir handsome,
Tho yir nae ile paintin Tam.

Will yeh keep yir voice doon
Or yir in trouble, Eck.
They're lookin err already,
Yi'll be flung oot oan yir neck.

Hiv anither half, Tam said,
Tae mak sure yeh shut yir gub.
Wance it's err yir thrapple
We can try anither pub.

Rab wis doon the pit yeh see,
When the roof began tae creak.
His mates wir really terrified
And they could hardly speak.

He held the roof up wi his heid
And a dizzen men escaped.
Eck wis really quite impressed
As at his pal he gaped.

But hoo has he a broken nose
And caulifloors fur lugs
And a bottom lip that looks like it's
Been worried by twa dugs

Weel, said Tam, ah'll tell ye Eck,
What happened tae his face
Like ony other pit prop,
They chapped him intae place.

Hold on Erch, they're comin.

THE HOMING PIGEON

I have a homing pigeon
It's a lovely shade of blue
By jings it is a guid yin
That's why ah love it like a doo.

It feeds on wheat and barley
And it sometimes likes a pea
Ah'm fond o ma wee pigeon
And ma pigeon's fond o me.

Ma wife got kind o jealous
O the bonny wee blue burd
She took the huff fir ages
And hardly said a word.

Then said, ah canny help it
Nae maitter hoo ah try
Ah'm no that fond o pigeons
But ah'm fond o pigeon pie.

It's gittin near December
And still yir oan the Dole
It could, fir Xmas Dinner
Play an important role.

It aw biles doon tae this
It's either it or me
A lump came tae ma throat
And a tear sprang tae ma ee.

Ah said, dinny be silly
Ma pigeon's jist a burd
Ah'll wring its neck fir Xmas
That's fine, she almost purred.

Oan Xmas Eve, Ah grabbed the doo
And gied its neck a squeeze
But ah loast ma resolution
When it began tae wheeze.

Ah said, ma pair wee burdie
Ah canny tak yir life
But wan o' ye his got tae go
So it'll hae tae be the wife.

Noo ma wife his left me
It seems she's flown the nest
It's maybe jist a holiday
Tae gee her tongue a rest.

Is she a roamer or a homer
Ah'll hae tae wait and see
But ma life is awfy peaceful
Thir's jist ma burd and me.

Ah sit up in ma doocot
And listen tae it coo
And the mair ah see o people
The mair ah love ma doo.

METAMORPHOSIS

Last nicht ah met a morphosis
It gied me such a fricht
Ah wis walkin past the cemetery
There wis no a soul in sicht.
When oot there stepped this woman
In a long, white nicht goon
She said, hello, ma manny
Wid ye like a wee lie doon?
Ah said, oh no ah'm sorry
Ah'll hiv tae hurry hame
Ma wife'll hae ma supper made
Bit thank ye jist the same.
It's no as if yir ugly
Yir no too bad attaw
It's that burd oan yir shooder
Is that a Hoodie Craw?

She changed intae a hairy man
And grabbed me bi the throat
Ah said, here hing oan Jimmy
Yi'll dirty ma new coat.
He growled, ah beg yir pardin,
Ah jist got carried awoh
Bit see, the moon is comin oot
And sin ah'll hiv tae go.
He vanished in a twinkle,
And left me feelin foul
And then ah saw him oan a hill,
And ah'm sure ah heard him howl.

His nose wis pointed tae the moon
And then he disappeared
And ma chin felt kindae funny
Like ah wis growin a beard.
Wis it ma imagination
Bit ma teeth felt awfy long
Ah wis aye a wee bit puny
Bit ah suddenly felt strong.
Aff ma shirt a button popped
Ma chist felt like a barrel
Ah tried tae laff it aff
But it sounded like a snarl.
Ah woke up the next mornin
an much tae may relief
Ma chin was back tae normal
and so it seemed, ma teeth.

Had ah really met a morphosis
Noo ah'm no very shair
But ah keep keekin at ma chist
Tae check up oan the hair
So if you meet a morphosis
Be care fae whit ye do
And dinnae stare at me like that,
For ah've recovered noo-ooo-ooo

THE BAFFIE MAN

Have yeh seen the Baffy Man?
The Baffy Man's oot there.
He will catch yeh if he can,
O that yeh can be share.
The Baffy Man's an awfy man,
They say he's no aw there.

Hiv yeh seen the Baffy Man?
For he maun be somewhere.
Ah once in Blairinbathie ran,
Ah ran without a care.
Then thocht ah saw the Baffy Man,
So ah ran like a hare.

Ah never keekit roun the once,
Ah had nae time tae spare.
Hoo ah ran fae the Baffy Man,
Ah ran till ah wis sare.
Ah've heard it's Mrs Haffey's man,
He's dafter than a coot.
She locks him in his room aw day
And then she lets him oot.

He'll staun there starin at the moon
Then start tae curse and swear.
Have yeh seen the Baffy Man?
The Baffy Man's oot there.
Can ah come in and sit wi yeh?
Ah'm a wee bit feard massel.
The Baffy Man's oot there, ah say,
For ah can always tell.
You'll be gey glad o' the company

Since you are here alone,
So ah'll slip aff ma muddy bits
And pit ma baffies oan.

We must be under the sea by now, Tam

THE NEW TEACHER

Is a dove a doo, Dad?
Is a doo a dove
Is a cow a coo, Dad
A sparrow jist a spyug
Is a wall a waw Dad.
Is a dog a dug
She's gonny warm ma ear, Dad
Instead o skelp ma lug.
Ma teacher's awfy posh Dad
She changes aw oor names
Wee Shuggie noo is Hugh, Dad
And Jimmy's ayeways James.

Ah'm scunnered wi it aw Dad
The waye she shoogles words
Ah must be glaickit no tae ken
That feathered friends are burds
Ye lernt mi aw wrong, Dad
Ye cawd a ball a baw
Your wife is now my Mother
You said it wis ma Maw
Ah'm no shair hoo tae spell, Dad
Ah'll niver pass ma test
What is this ah'm wear in, Dad
A simmit or a vest?

Ah gave ma nose a dicht, Dad
When it began tae dreep
She gave me sich a fricht, Dad
Ah near fell aff ma seat.
'Haven't you a handkerchief?'
She roared as if in pain
No, ah jist yase ma sleeve, Miss
And wiped ma nose again.
Ah cawd a mouse a moose, Dad
Ah shid hiv held ma tongue
That's manure oan yir bits, Dad
Nae longer is it dung

It's turnips and potatoes
No tatties noo and neeps
She said I'd ripped my trousers
When ah'd only torn ma breeks.
There's two words fir awthin, Dad
They're jumbled in ma heed
Hoo kin ah be well bred, Dad
When ah keep sayin breed
Is a crow a craw. Dad
Is a bull a bul
Ah'll try tae get it richt, Dad
I will, I will, ah wull.

THE EGG TIMER

They say ah'm a widdy
Noo Wullie his gone
Bit here in the hoose
Ah'm shaire he lives on.
He'd gone fir a walk
Weel enough wrapped
He seemed fine when he left
They say he jist drapt.

Ah hid him cremated
That wis nae joke
Ah gazed at the lum
As he went up in smoke.
Wullie aye thocht that
He'd go doon below
Bit straight up he went
It jist goes tae show.

They gave me his ashes
And looked at me hard.
When ah said, 'Och aye,
Bit whaur is the lard?'
Tho ah wis jist kiddin'.
They thocht ah wis queer
Then aff ah went hame
Wi ma wee souvenir.

He sat at the fireside
In a nice silver tray
Ah gied him a poke
Wi the fire every day
Bit then on his birthday
Ah aye mind the date
Ah weighed him and found
He wis puttin on weight.

Ah made some enquiries
And tae ma dismay
Some neebours hid thocht
That it wis an ashtray
Bit ah blame massel
Ah'm left wi regrets
Fir Wullie kid nivver
Abide cigarettes.

So ah bocht an egg timer
And took oot the sand
And pit in his ashes
My, he looked grand.
He nivver liked work
He wis sae often fu
So ah'm makin share
That Wullie works noo.

THE SECOND HUSBAND

Ma wife is tryin tae pieson me,
Ah'm sure yeh will agree
When ah tell yeh o the funny things
She gees me for ma tea,
And as ah'm the second husband
Tae sample her chip pan
Ah wonder if she's got her ee
Oan yit anither man.

If ah complain aboot her chips
Its sure tae rouse her wrath,
Tho they're as hard as granite chips
And shid be oan the path.
The fryin pan has a funny smell,
She says it's lemon sole
But ah ken that the goldfish
Has vanished fae its bowl.

She's so prood o her cookin
Tae but disnae like tae boast
And says her speciality
Is scrambled eggs oan toast,
But her eggs are nae eggsample,
Ah wid say they're overdone
And ah'm sure the hens that laid them
Have never seen the sun.

Noo oor budgie he could fairly speak,
Ah even had him taped,
Then ah found his cage door open
And she said he had escaped.
Ah really miss wee Joey
And ah havena seen his since
And wis horrified tae find
A blue feather in the mince.

Here's yir knife and fork she said,
This is toad-in-the-hole,
But when ah tried tae cut it
It did a forward roll.
Ah tapped it smartly oan the heid
Although ah feared the worst,
It blinked an ee, it wisnae deid,
It wis sittin there concussed.

Eat yir toad-in-the-hole she cried,
And then git oot ma road.
Ah quickly stabbed it wi ma fork,
There wis a hole noo in the toad,
And then it blinked anither ee,
Sae sad ah'll ne'er forget it
So ah hid it up ma jersey,
And ah'm sure she thinks ah ett it.

It wis mutton for the tea last nicht,
But oh ah'm awfy feard
For it didnae taste like mutton
And the cat had disappeared.
Ah'd indigestion afterwards
And at nicht ah couldnae sleep,
A question aye kept comin back,
Are there whiskers oan a sheep?

Noo ma neck is gittin swollen,
Ah can hardly git ma ties oan.
Dae yeh think it is significant
When she says, ah'll git the pies oan.
The goldfish, cat and budgies gone,
We've jist her wee dug Fido.
Ah'd like tae ken jist whaur and when
And whit her last man died o.

THE PENSIONER

Scotland's no a hot land
Scotland's awfy cauld.
A hat and heavy coat land
Especially when you're auld.
A sort o' time forgot land
That tourists queue tae see.
A castle and a moat land
Where jist the fresh air's free.

Scotland's no a hot land,
We hardly see the sun.
By the time it reaches Scotland
Its shine his aw been shun.
So it's a pan and pot land
Tae warm us up wi stew
Or cauliflower and cabbage
Wi a bit cut fae a coo.

Scotland's no a hot land,
Mair than oor share o snaw
Nae wonder before winter
The swallys flee awoh.
Ah wid flee awoh massel
If only ah had wings.
Ma nose and toes are frozen,
No tae mention ither things.

Scotland's no a hot land
On that we aw agree.
For some a build a boat land
Tae tak them oer the sea.
The east coast is the cauldest,
The air sae sherp and keen.
Nae fish need tae be frozen
When they're sent frae Aberdeen.

Scotland's no a hot land,
Scotland's awfy raw.
A grab yeh by the throat land
When the north wind starts tae blaw.
A shed that needs creosote land,
There's so much rain and sleet.
It's no a laugh a lot land
But enough tae gar yeh greet.

Scotland's no a hot land,
That is why ah mak a fuss.
It's mair a sheep and goat land,
Wis it really meant for us.
Ma knees are nearly numb noo
And ma feet jist feel like lead.
Scotland's no a hot land
So ah'm goin back tae bed.

THE LAST BUS TO KELTY

Aye, this is the last bus tae Kelty,
But dinnae git intae a stew.
Yi kin grunt, yi kin groan, but yir no gittin oan,
Until yi git intae a queue.
Will yi stoap aw yir pushin and pullin?
Am ah talkin jist tae massel?
No, ah don't want a drink, but jist stoap and think,
This is ma roond and ah'm oan the bell.

No, yi cannae come oan wi twoh whippets:
Wan dug per person's the rule,
Yah silly old goat, stickin wan up yir coat,
Dae yi think ah'm sae easy tae fool?
What if we git an inspector?
Then ah'll really be in a jam.
Oh git oan, ah suppose, he'll just bite aff ma nose,
He kens what a saft touch ah am.

Have yi seen a ferm lassie hame, son?
Yir shoes are all covered wi sh... dung.
Noo dinnae you laugh, yir takin them aff,
Or yi'll hear the sharp edge o ma tongue.
Has yir mither no taught you nae manners?
Nae wonder ah kick up a fuss.
The next time yi choose
tae walk among coos,
Yi'll no try tae step oan a bus.

Who said yi could bring oan fish suppers?
It's a bus, no a cafe yi ken.
No ah don't want a chip, and ah'll gee yi a tip,
Dinnae try that one again.
Noo yir guzzlin these wee pickled onions.
You twoh must hae stammicks o steel.
Aw washed doon wi coke, it gees me the boke,
A pig widnae caw that a meal.

And you hingin oantae that lamp post;
Ah think yiv had wan err the score.
Yir at the wrang stop, and yir jokin, ah hope,
No, we cannae go roond by Lochore.
We kin tak yi as far as Lumphinnans,
And that is the best we kin dae.
Oh yir no like these mugs, yiv won at the dugs,
And yi'll tak a taxi, yi say.

Aye, this is the last bus tae Kelty,
If yir comin yid better get oan.
Aye Hen, yir in love, but gee him a shove;
He's jist like a dug wi a bone.
It's been a long shift but ah'm happy,
Noo at last wiv left Cowdenbeath.
See me hame, Sir? Nae chance.
Yir gey old fir romance,
But ah'll help yi tae look fir yir teeth.

He's no lang mairried

There must be gas aboot, Tam

MA MITHER MILKED THE TURRA COO

Ma mither knew a thing or two
When first she met the Turra Coo.
It greeted her wi friendly moos,
For Nellie had a wey wi coos,
And ever after she wid miss
Those balmy days o bovine bliss.
Her een wid sparkle like the dew
When she spoke o the Turra Coo.

It started wi Lloyd George's Act,
When awbody said he should be sacked
For layin oan the fermers' backs,
What they thocht wis an unfair tax.
Her owner widnae pey his due
And so they took the Turra Coo
Tae be sellt at Aberdeen
In nineteen hundred and thirteen.

But Robbie's freends aw rallied round
And bocht the coo for fourteen pounds.
Before it came tae ony herm,
They took it back tae Lendrum Ferm.
And so the wee white coo came hame,
No quite sae fleet, a wee bit lame,
But mony herts wir brimmin fu
Tae see again the Turra Coo.

Then toorists flocked tae Turra toon;
Yid think the coo'd jumped ower the moon,
And they replaced their cheenie dugs
Wi Turra coos oan jars and jugs.
Tho lang since gone where guid coos go,
A land where milk and honey flow,
And jined the bull in pastures new
We'll no forget the Turra Coo.

chorus

Oh Turra Coo, oh Turra Coo,
We will aye remember you.
Oh what ah wid gee for a coo
Like the braw wee Turra Coo.

THE MONKEY CAGE

The monkey cage, the monkey cage,
At Edinburgh Zoo
If ye like a bit o fun
Then that's the place fir you.
There wir people scootin oot an in
As we came aff the bus
And soon we saw the monkeys
And the monkeys soon saw us.

Dinnae feed the animals,
That's whit the notice says
You'll easy ken the animals,
They arenae wearin claes;
That wan looks like Grandad, Maw,
Oor wee Mary laughed,
Aye the monkey's better lookin tho
And disnae act sae daft.

Some o them wir ha'en a swing
On tyres hung fae a bar;
They looked far better than the tyres
That ah had on ma car.
The gorillas gied us aw a fricht,
We didnae stey there long,
Wan stood up and beat his chest,
He looked jist like King Kong.

Then we lost oor Tommy
And we found him oan his knees,
His heid wis held against the bars
Wi twa big chimpanzees.
We had tae git a keeper
Tae mak them lose their grip,
Wee Tommy gret fir ages
And it fairly spoilt his trip.

There wis an orangoutan there,
 He didnae half look mean,
He waved at us sae friendly like
Then spat intae oor een.
A man wis makin faces
At a bonny big baboon,
The monkey jist ignored him
As the man jumped up and doon.

We nearly fainted near wan cage,
There wis an awfy crush,
It seems there is some monkey tricks
Wid mak a navvy blush.
'Aren't they disgustin, Tam?'
We heard a woman moan,
'You'd nearly think they're human
Wi the wey they carry oan.

The monkey cage, the monkey cage,
At Edinburgh Zoo,
If ye like a bit o fun
Then thats the place fir you.
The monkey cage is aw the rage
At Edinburgh Zoo
But dinnae let the monkeys
Mak a monkey oot o you.

IT'S HARD TAE BE A CRAW

It used tae be sae hard tae be a craw
But noo ah feel it's no too bad attaw.
The new roads and motorways
Have brought me better days,
It seems as if ma cares have flown awaw.
Noo the roads are filled wi the dead and dyin
And a meal is waitin there withoot tryin.
There's rabbits and there's rats
And even dugs and cats
And now it's no too bad tae be a craw.

It used tae be sae hard tae be a craw,
Especially when weary winter came.
Noo ah dinny mind the wind or rain or snaw,
Ma meals are waitin for me just the same.
And noo ah'm oan a very varied diet,
Whatever they fling oot their car ah'll try it.
They can cook ma food or hand it to me raw,
And it used tae be sae hard tae be a craw.

So long may they build the motorways,
By the side o them ah hope tae end ma days.
Ah dae jist as a please
Since ah've found a life of ease,
Ah suppose it's jist the luck o the draw.
The cars seem tae git faster every year,
Ah always gie the new models a cheer.
For the rabbits find it harder
Tryin tae avoid ma larder,
And it used tae be sae hard tae be a craw.

It used tae be sae hard tae be a craw,
You should have heard
the stories fae ma maw.
When it wis hard tae get a bite
And aw craws were shot on sight,
For birds were no protected by the law.
Believe me ah can say ah'm fond o man,
If he's sittin in a bus or car or van.
When ah hear the rabbit squeals
And it's time for meals on wheels,
Ah know it's no too bad tae be a craw.

HANNIBAL THE CANNIBAL

He's Hannibal the Cannibal,
Loch Fitty's fish o fame.
A pair o jaws like twa rip saws,
Impossible tae tame.
He lies in the mud till the scent o blood
Filters up his nose,
Then he rises slow with his eyes aglow
And off on the prowl he goes.

A daft wee coot went scootin oot
The water in some haste.
He said, 'My, my, I'll hiv tae fly,
I nearly wis meat paste.'
But a mallard duck ran oot o luck
As he went tae meet his mate.
She paddled back when she heard his quack
And found he'd met his fate.

He's Hannibal the Cannibal,
The terror o the deep.
When he's aboot there is nae troot
And naeone falls asleep.
For when he's seen like a submarine
The anglers gie a roar
And grab a gun for jist for fun
He'll bite richt through an oar.

He's Hannibal the Cannibal,
The freshwater shark.
He's the pike wi the awesome bite
Dying tae leave his mark.
Don't dare tae swim, if you meet him
You could end up as mince.
A Kingseat cook went for a dook
And naeone's seen him since.

He's Hannibal the Cannibal,
The terror o the deep.
A farmer swore that on the shore
He grabbed one o his sheep.
We saw the farmer late that nicht
Lichted by the moon,
As he lay in wait with a lamb as bait
And a rope on a harpoon.

But noo there is a big reward
For him alive or deid,
So if you like to fish for pike
Then just you go aheid.
But Hannibal the Cannibal
Kens jist how ye feel,
So keep in mind that you micht find
You end up as a meal.

DUCKS

I've got twoh miniature apple-yard ducks
And wan's got a gammy leg.
Ah thocht that they wid fend for themsels
But they jist sit up and beg.
Ah throw them a crust
For ah know that ah must,
Tae keep them goin in food.
Does anybody want twoh appleyard ducks?
Ah'd gie them awa if ah could.

Turkeys are too dear this year
So ah've had tae think richt hard,
What will we hae oan Christmas Day,
As I walk in ma appleyard.
But accordin tae ma vet
Yeh shidnae eat a pet
And the duck's ah'm sure wid agree.
So does anybody want twoh appleyard ducks,
Honest, you can hiv them free.

They dinny hiv the knack o producin a quack,
It's mair like a bugle call.
The neebors complain wi their usual tact
That it's drivin them up the wall.
Noo they've offered me a hen
That every noo and then
Will give some gentle clucks
But it's jist ma luck that noo ah'm stuck
Wi twoh miniature appleyard ducks.

They've made a mistake, one o them's a drake
And I'm left to carry the buck
For they've started to breed
And he's planted his seed
As they ducked aboot in the muck.
A duck can lay twenty eggs, they say
That drake's put a spanner in the works
For they micht at a push, go and produce
Twenty little appleyard ducks.

THE SPARROW ROBERT BURNS

Ah wis born on a bonny day
In the good old summertime.
They called me after Scotia's bard
For ah wis fond o rhyme.
Whenever ah hear *Scots Wha Hae*
Ma hert within me churns.
Ah wis reared oan love and liberty,
Ah'm the sparrow Rabbie Burns.

Let the eagle, seagull or the craw
Praise Shelley or Shakespeare
Oor bard he stans aboon them aw,
O that ah hae nae fear.
He sang aboot the humble things,
The daisies, mice, the worms.
That's why ah'm prood tae bear his name,
Ah'm the sparrow Rabbie Burns.

So when yir in yir cosy hoose
And winter grips oor land.
O haggis, totties, neeps yiv taen
And a glass is in yir hand.
You'll no forget tae feed the burds
Till summertime returns.
Oh hoo ah'd love a wee bit toast,
Ah'm the sparrow Rabbie Burns.

ROVER

Ah wanted a dog, ah got a hedgehog
Ma faither tryin his best tae please
He handed it over and said, this is Rover,
Ah've bought yeh a wee Pekinese.
Ah wis too young tae know, so ah said hello
If its walkies yeh want, ah'm yir boy

Then ah slipped an auld lead ower Rover's wee heid
As doon ma cheeks ran tears o joy.
We went fir a stroll tae a telegraph pole
At first Rover thought it was rare

Till an amorous pug gave him a big hug
And damaged himself here and there.
A man wi rheumatics said only lunatics
Wid tak a hedgehog fir a walk
Ma pug wis at stud, he's been nipped in the bud
Nae wonder he's gone white as chalk.

Noo ah sleep like a log, ah've got a watch-hog
Ah've taught him tae bark and tae whine
He'll jump fir a scone or gnaw at a bone
He's jist like a dog, and he's mine!

WULLIE

What wull ah dae wi ye, Wullie,
Ah hear yiv been worryin sheep.
A man fae the law wull tak ye awaw,
Yill hiv tae be pit doon tae sleep.
What wull ah dae wi ye, Wullie,
Ye won everything at the trials.
You were the best, ye beat aw the rest,
There's nae dug could touch ye fir miles.

What wull ah dae wi ye, Wullie.
Where were ye last nicht in the dark?
They found an old ewe wi blood oan its pow.
Oh, Wullie, ye sure left yir mark.
What wull ah dae wi ye ,Wullie.
Ah hear a fitstep oan the stair.
We'll hae a last hug, yir still ma wee dug,
But sin yi'll be Wullie nae mair.

TO A PLOOMAN

(Who ruined my nest in November 1785)

He said, I'm sorry ma wee moosie,
Ah've broken up yir hoosie,
But bide a while, dinny run awoh
For tho ye may not know it
Ah'm a wee bit o a poet,
Aboot ye ah could write a verse or twa.
Ah said, Ye must be glaikit,
Yiv left me nearly naikit
And noo yir wastin mair o ma time.
It's a new hoose that ah want,
No tae listen tae ye rant
Or tryin tae write anither silly rhyme.

Noo ah'll tell ye jist the wance,
Ye wir sittin in a trance,
Dreamin as ye ett a bit o neep.
Yid left yir wee note book
Safe in a shady nook
So ah took the chance tae hae a peep.
Ah may be jist a minion
But if yir wantin ma opinion
Ah've niver read such rubbish aw ma days.
But yir no ready fir advice
Ah suppose, fae men or mice,
Ah hope yir only goin thru a phase.
Ah think ye must be crazy
Tae write aboot a daisy,
Efter aw a daisy's jist a flooer.

Had ye heather in yir lugs
When ye wrote aboot twa dugs.
Just as weel a sausage or a sewer.
Ye shid write o somethin grand,
Jist tae let ye understand,
A king and queen, a battle or a flood.
Noo that wid tak the fancy
No tae read o Poosie Nancy,
Ah doot yir feet are firmly in the mud.
Ah heard ye hae some banter
Wi that awfy Tam O Shanter,
Filled up as usual tae the brim.

Oh it's bad enough a moose
Or even worse a loose,
At least yiv no a poem aboot him.
Then walkin humphy backit
As if yeh wir half chackit,
Talkin o yir Mary or yir Jean
And whaur the dark Doon flows,
Ah saw yeh puin a rose
Then howkin in yir finger wi a peen.
Oh man stick tae yir plooin,
Tho ma hoosie's jist a ruin.
And yiv added tae the grey hairs in ma heid
Fir Rab dae ye no see
Whit's in store fir you and me,
Forgotten no long efter we are deid.

TO A PLOOMAN

(Who ruined my nest again)

It's you again you careless plooman,
And typical of thoughtless human.
It's nae wonder that I'm fumin,
You've ruined ma hoose.
And weary winter noo is loomin
For man and moose.
But thou art blessed compared wi me,
A plooman ah wid rither be.
As darkness falls, you cross the lea
Tae cottage warm,
And safe within at close of day
You're free frae herm.

But oot here ah am all alane
And pressed against a sheltrin stane.
The wind that blaws wi micht and main
Wid freeze ma hert,
And frae this life o joy and pain
Ah fain wid pairt.
Ah ken you say you didna mean it.
Ma wee bit hoose you hidna seen it.
Yir een wir oan a bonny linnet,
But gone ma hame,
And aw the wee anes there within it
Tae your great shame.

Ah ken you dinna lack compassion,
Humanity you dinna ration,
And you had gaed against the fashion
Tae think o us.
Tae spare a nest's a funny notion
So why the fuss.
And when the field's got cauld and bare,
Ah saw you wi the wounded hare.
You tended it wi lovin care
Till its last breath.
Ah'll mind you took the time tae spare
Tae ease its death.

And humble daisy neath yir heel,
Some sympathy you'd time tae feel.
Jist ane fause step its fate did seal,
Its beauty spent.
And I at least did ken fu weel
It wisna meant.
So fare thee weel thou honest man,
And ah'll forgive you if ah can.
Tho fearfae o ye ah hae ran
In mindless fricht,
Whatever else o you is wrang,
Yir hert is richt.

STIRKS

Down the slope the dark beasts bound
Attracted by the dog, a timid hound,
To them a magnet. We are fragile,
They are strong, as agile as apes
Tormented by biting, buzzing flies.
They seem demented. As playful
As kittens, the farmer once said.
But he is dead, gored
By the pet bull he adored.

Now the scarecrow wears his jeans
And his beasts bounce up and down
As if the fields were trampolines.
Their eyes roll, show the whites.
No human lights are these, but
Of a demon world, ancient, evil,
Revelling in our fear, so near
But for that barbed wire fence.

Someone in the farm had sense.
Scram, I yelled, just to show
That I was no push-over.
Don't panic, steady Rover.
Where are the picture book cows
Quietly chewing in fields of clover?
One backed away, a pause.
The rest moved forward, those
At the back pushing blindly.

Why are you behind me, dog?
Their nostrils spill smoke,
Volcanoes with an inner fire.
Come, Rover, it's time to retire.
Enough of these mad eunuchs.
It must be tough on them,
Poor fools, not knowing if they're
Cows or bulls.

NEEPS

As ah went for a walk last nicht
Ah came upon an awesome sicht
A lot o sheep were in the neeps
And a lot o neeps were in the sheeps.

THE EAGLE HAS GONE

There is a mountain where no eagles fly
No mighty wings now beating the sky
There is a moor where no red deer roam
What have they done to my green island home?

There is a river where no salmon glide
No gleam of silver fresh from the tide.
No more the heron wades the stream
Gone with the otter like a fading dream.

Where is the blackbird that brought in the dawn
The mavis sang its heart out, now it is gone
Where are the bees to build the honey comb
What have they done to my green island home?

Who is to blame for all the acid rain
When will our green land bloom once again
When will the peeweeps sweep a clear sky
When will our children stop asking why.

Where are the seeds now that blew in the wind
No-one will answer but someone has sinned
Where is the wild gean that gripped the dark loam
What have they done to my green island home?

Where are the blithe larks that hid in the clouds
How could they know that these were their shrouds
Where is the cuckoo to herald in the spring
Silent is the valley where no robins sing.

Where are the flowers that rose to the sun
A bounty of beauty, now there are none
Gone are the golden days, the halcyon has flown
What have they done to my green island home.

THE GAIRNEY GLEAMS

Oh, that I were where the Gairney gleams,
The Gairney gleams, the Gairney gleams.
Oh, that I were near her bright streams,
If only I was free.

I'd climb away from this dark mine,
This dark mine, this dark mine,
To where the trees are softly sighing
And wander there with thee.

If I could only move this stone,
Move this stone, move this stone,
I'd join you where the wild bees drone
And where the Gairney gleams.

Then wait for me, my only love
My only love, my only love,
Enchanted by the lark above,
We'll weave our own sweet dreams.

BURY ME BY THE GAIRNEY

Bury me by the Gairney
When Life comes to a close
Beside the quiet waters
Near to the wild rose.

Below beloved Benarty
Under the wide sky
Bury me by the Gairney
Forever there to lie.

THE TAY SALMON

Fishing men have many tales,
Richt fae minnows up tae whales.
The fish they caught, the wans that got away
And hoo it came tae pass
That a wee slip o a lass
Caught the biggest salmon ever oan the Tay.
In nineteen twenty two
The big salmon jined the queue,
Waitin for the tide doon at Dundee.
Well he hadnae long tae wait
Then at Caputh met his fate;
He'd been better if he'd lingered in the sea.
Weel wrapped in a big coat
And wi her Daddy rowin the boat
Miss Ballantine was taught that patience pays.
And at last she hooked the fish
That fulfilled her every wish,
A salmon she'd remember aw her days.
When her rod bent like a bow,
Aboot as far as it could go,
It really wis a time for nerves of steel.
For never yet a peep o the monster o the deep,
And her Daddy said to her, this is no real.
So for oors and oors they fought,
Though the salmon rocked the boat,
Miss Ballantine was always in command.
And for every trick he tried,
The wee lass aye replied
Till the fish began tae feel he was half-canned.

When at last she reeled him in
And could see his dorsal fin.
Wondered if he could be a great white,
But her Daddy gave a laugh,
And struck him wi the gaff
And at last the mighty fish gave up the fight.
Then they rowed him tae the shore
As they sang *The Battle's O'er*
What a story for the papers the next day.
When they weighed him it wis found
He wis over sixty pound,
Then they wrapped him up tae keep the flies away.
Mallochs they moved fast
And had the salmon cast,
Then put him in their window oan display.
P.R.I then got the fish
And their cooks prepared a dish
So the patients ate a part of history.
He's still with us in a way,
At Perth Museum to this day,
Tho many years have passed he still looks grand.
In his case he's shining bright,
A piscatorial delight,
And the most famous fish in aw the land.
And wee Miss Ballantine, even after aw this time
Is still the queen o fishing lore they say.
For she was but a quine when
She caught by rod and line
The biggest salmon ever oan the Tay.

NAE ESCAPETH fae CAPUTH

THE FOX

Now my heart is pounding
For I must run and run.
To me, you see, it's life and death,
To them a bit of fun.
They caught my brother yesterday,
 It could be me today.
A hundred huntsmen, horses, hounds,
And this is sport they say.

The master wiped some blood
On a little girl's face.
She has won an honour
And a fox just lost a race.
The huntsman calls me brother too,
That's why his coat is red.
He says he really likes me,
But today he'd like me dead.

We cannot get too numerous
So we must be controlled
And better to die in your prime
Than wait until you're old.
For man was given dominion
Over every other beast
And surely no-one grudges him
A fox or two at least.

Even the Vicar's joined the hunt,
I thought he was a friend.
He's in the R.S.P.C.A. Will he
Be with me to the end?
A lone objector waves a card,
But he is called a lout.
The townies do not understand
What country life's about.

I took a chicken it was charged,
And then partook of lamb.
As if I'd dine on forced fed food,
What do they think I am?
Not for me, I much prefer
A rabbit, rat or hare,
A mouse, a grouse, a feral cat,
I'm innocent I swear.

Last night I met a vixen,
Widowed and flea bitten,
But she's a she, and me being me,
Was very quickly smitten.
We woke up in the morning
To the singing of the thrush,
Then she said be on your way
And whacked me with her brush.

We're protected for a while each year,
It's all part of a plan.
Unless we've time to reproduce
There is no fox for man.
What would they do on Saturdays ,
Support their local team?
Watch twenty two men chase a ball,
No, that is just a dream.
For no-one's liable to get killed,
And Sir, that's just not cricket.

They do not tear the ball to bits,
The most they do is kick it.
The baying now is louder, and
The hounds are getting near
And once again I am gripped
By the familiar fear.
And now my heart is pounding
For I must run and run,
To me you see, it's life and death,
To them a bit of fun.

GLENCOE

Oh ma name is Colin Campbell,
Ah wis rarin for a ramble
And jist by chance ah landed in Glencoe.
There ah hoped tae see an eagle
But ah only saw a seagull
Who took wan look at me then flew awoh.

But ah set aff wi a smile
And ah wandered for a while
On a path mair suited tae a sheep.
The guid weather didnae last
And the mist came doon sae fast,
Ma gas wis quickly put doon tae a peep.

And then ah met a manny
Wi his collie and his granny.
They didnae even say tae me 'Hello.'
Ah wis treated wi suspicion,
Was ah up here for the fishin
Or had ah ither business in Glencoe?

So ah telt them who ah was
And he grabbed me, jist because
There had been a bit o trouble in the Glen.
It wis a massacre, he said,
And a lot o folk wir daid
And a Campbell is nae better noo than then.

But his granny pu'd him aff
Then ah tried tae gie a laugh
And said, yer jist havin a wee joke,
But he geed me sic a glower
That it nearly knocked me ower;
They didnae seem the friendliest o folk.

The collie dug wis maistly black,
No a dug you'd want tae clap,
The sort o beast yer better tae avoid.
It stood oan that blasted heath
And growled and showed its teeth;
Ah could see it wis easily annoyed.

Then the wind began tae howl
And the Granny said, pair sowl,
You'd better come wi us for B&B.
It's gonnie be an awfy nicht,
Is twenty pounds awricht?
Better that than leave you here tae dee.

Tho the room wis cauld and bare,
Ah wis sae tired ah didnae care
And only hoped the collie had been fed.
The wind wis blawin a blast
But ah fell asleep at last
Wi a claymore on a hook above ma bed.

Ah woke up through the nicht,
Ah wis soakin wet wi fricht.
Tae stay awake ah gied massel a pinch.
Then the cottage waws aw shook,
The claymore fell aff its hook;
Ah swear it only missed me by an inch.
Noo ah'd plenty time tae think,
For nae mair ah'd sleep a wink
Ah thocht as ah'd nivver thocht a fore,
Then appearin like a ghost,
'Wid yeh like a bit o toast?'
Ah saw auld Granny grinnin at the door.

But ah crept oot like a moose
As ah murmured ma excuse
Tae visit the wee hut beside the burn,
And a walk became a run,
Wi ma freedom sweetly won,
Ah left the glen never tae return.
Ah still travel far and wide
Tae enjoy the countryside,
And even yet ah'll tackle a Munro.
But wan place ah dont go near,
Its very name fills me wi fear,
And a Campbell shouldnae ramble in Glencoe.

THE MONARCH OF THE GLEN

This savage land o mountain in the mist,
Wi corries that the sun has never kissed,
Domain of golden eagle,
Who'll pounce upon a seagull
And crush the pair wee cratur in his fist.

In summertime how red the rowan tree,
And the honey heather's courted by the bee.
But it's aw owned by the Laird,
Who'll try tae mak yeh feard,
Sayin this is mine as far as yeh can see.

The gentry are a funny set o chaps,
Sayin but for them the country wid collapse.
Yet they're mornin, noon and nicht
Shootin everything in sicht
Then go back tae the castle for their Schnapps.

They'll talk aboot the Monarch of the Glen,
The greatest prize of all for shootin men,
Who, at the slightest cough,
Wid suddenly bound off,
But where he bounded to, they didnae ken.

He wis even painted by the great Landseer,
But hoo on earth did Landseer git sae near,
He'd hiv tae crawl for miles
Tae paint a stag in iles,
And all because the Queen said 'Oh my dear.'

And then at last there came the fateful day
When he wis shot by Viscount Peregrine McCrae.
The pair beast staggered wance,
Then fall intae a trance,
And very soon his life blood ebbed away.

But the Monarch of the Glen can still be seen.
They stuffed his head and gave him twoh gless een,
And the Laird will point him oot
Tae the fraternity who shoot
And aye complain they hivnae got a bean.

Was he shot in the Corries, someone said,
Oh no, the Laird replied, richt through the head,
And the General half awake,
Shot the Viscount by mistake,
But of course we couldn't stuff him I'm afraid.

Noo the stag symbolises Scotland's pain.
When will the rainbow shimmer through the rain.
For where the midges whine,
There's another Peregrine,
And he'll be there until we rise again.

AN AULD AUCTERMUCHTY MAN'S LAMENT

Auchtermuchty is a braw, wee place,
Ah think ye will agree
Ah've lived, here aw ma life
And ah'll live here till ah dee
The people are sae friendly here
And we've got Jimmy Shand.
But nothing's ever perfect
As ah'm shair yi'll understand.

Ah married a young woman
Altho ah'm gittin auld
It's fine here in the summertime
But winter's awfy cauld.
She had her ee oan ma wee hoose
And siller in the bank
Tho ah'm built like a whippet
And she's built like a tank.

Ah hiv a guid wee gairden
Ah'm always plantin seeds.
And tho ah try tae please her
She still speaks o her needs
Ah grew big beans and broccoli
If that wis no enough
Ah even grew her caulieflooer
And still she taks the huff.

There' s a burn beside ma gairden
Ah dinny ken its name
But it runs in tae the Eden
And its brocht ma gairden fame
Ye see, ma name is Adam
Ye scarcely wid believe.
And tho ma wife is Effie
Ah often call her Eve.

Ah Cain yir Able she will say
Ah'm nae shair what she means.
Or, mair tae life than cauliflooer
And broccoli and beans.
But we can see the Lomond Hills
Near whaur Strathmiggly lies
And och man, Auchtermuchty
Kin seem like Paradise.

Noo ma wee gairden o Eden
Is famous aw err Fife.
Tho some wid tak ma gairden
There's none wid tak ma wife
She's aye sunbathin naikit
Like in a nudist camp.
Ah tried it once tae please her
But the gress felt awfy damp.

Then she handed me an aipple
Fae aff oor aipple tree
And gied a funny sort smile
And winked her wan guid ee
Tho ah wis sorely temptit
Ah said, 'Satan git behind
Altho ah'm fond o aipples
It wis no the eatin kind.

An aipple's jist a symbol
She said 'Dae you no see
But tho there's jist the twoh o us
Quite soon there could be three
Fir we were meant tae multiply
And ah've ma marital richts
So in Eden ah hiv Effie
Bit oh, ah dread the nichts.

THE PICNIC

Ah'd niver travelled very far
Until ah got this guid wee car
And said wan day we'll hae a run
Ah thocht at first it wid be fun.

Until ah heard ma Missus say
Kin we no tak ma Mither tae
No her, ah thocht, bit held ma tongue
Her Mither liked me, like coo dung.

So there she sat beside the weans
And sayin tae them, are we sardines
And, Wullie dinny drive sae quick
We'll aw be landed in the nick
And juttin jaw like Rudolf Hess
Girned aw the way tae Inverness.

The sky wis blue, the sun wis hot
We looked oot fir a picnic spot
And came across a braw big loch
This is just the joab, we thocht.
We'll build a fire and bile a drum
But quick, before the midges come.

We drank oor tea and ett a piece
Then let the weans aff the leash
Ah had a smoke then took a stroll
The water looked as black as coal
Then oan the shore beside the sheep
Ah sat doon and fell fast asleep.

Ah dinny ken hoo long ah slept
The sheep had gone, the time had crept
The water noo looked awfy near
Like lichtnin ah wis struck wi fear.

Fir oot the mud a cratur crawled.
It nearly made ma blud run cauld
Ah thocht at first a crocodile
Hoo could it be, it's no the Nile.

It came towards me oan its stumps
And doon its back, a dizzen humps
Ah tried tae run but kidni budge
Ma feet were stuck, as if bi sludge
Then tried tae scream but no a soond
As if ma neck wis tichtly boond.

It had a sort o purple heed
Where leeches held oan fast tae feed
And red rimmed een, that seemed tae glow
Ah kidni tak ma gaze awoh.
A gapin mooth wi toothless gums
Above it holes that looked like lums

Sae fearsome ah began tae feel
Ah'm bound tae end up as a meal.
Nearer, nearer still it crawled
And oot its mooth a long tongue rolled
Ah tried tae stammer oot a prayer
But still it fixed me wi its stare.

This is it, ah telt masell
A cratur his crawled up fae Hell
It seemed tae me that aw wis loast
Ah nearly had geen up the ghost.

And then ah heard a welcome soond
Tho still ah kidni turn aroond
Ma wife wis yellin oot ma name
And sayin, it's time tae head fir hame.
She didni see the thing at first
But when she did she nearly burst

Oh Mither, she began tae rage
Shid you be swimmin at your age?
And in yir knickers tae, and vest
Hurry noo, git dried and dressed.

Ah wis jist ha' en a paddle, Grace,
Tae cool the bunions oan ma taes
Ah took a step, went err the heed
And then got tangled in a weed.
Yir man's a moose withoot a doot
He widni even help me oot.

SHANE

Out of the rising sun he came,
His face was hard and lean.
He didn't say where he was going
Or even where he'd been.
He didn't seem to hear me,
When I asked him for his name,
But after a while he released a smile
And said, just call me Shane.

My Paw liked him right away,
I could see as he shook his hand,
And they agreed that Shane would stay
And help to work the land.
Maw, she didn't say too much
But she liked him just the same,
And she couldn't disguise the glow in her eyes
when he said, just call me Shane

Shane - Sha-ay-ane,
He said just call me Shane.

Stryker was a man of greed
Who wanted all he saw,
And reached out like a rampant weed
In a land that knew no law.
He sent to the east for Wilson,
A man who lived by the gun,
The word soon spread and some folk said,
He would shoot you just for fun.

He killed poor Torrey in cold blood,
In a fixed-up fight in the town.
We dragged our old friend out of the mud
And knew that the chips were down,
And there was only one man
Who could play the gunman's game,
For son, understand, he's no cowhand.
Paw said of the man called Shane.

Shane - Sha-ay-ane,
He said of the man called Shane.

At last they stood there face-to-face
Under a red hot sky,
Two strangers who had only just met,
But one of them had to die.
Wilson stood like a rattlesnake
Ready to spit out lead,
He thought that he was number one,
So go for your gun, he said.

Then, like lightning both men drew
And thunder smote the air,
But when the smoke had cleared away
Only Shane stood there.
Wilson lay shot in the chest,
At the end of his quest for fame,
But before he died, he softly sighed,
And said you must be Shane.

Shane slowly turned and walked away
From the crowd that quickly grew.
He was so fast Shane, wasn't he,
But not as fast as you.
I guess that I was lucky, son,
Though I know you won't agree,
But we were cast from the same mould
And Wilson could be me.

Shane rode into the setting sun
For he knew he couldn't stay,
He'd tried so hard to forget the past,
But the past wouldn't go away.
He gave me one of his slow, sad smiles
Before he tugged a rein.
Goodbye little Joe, it's time to go,
As I cried and cried his name.
Shane, Sha-ay-ane, I cried and cried his name.

SUNSET SONG

Chorus

I dream of Blawearie like never before,
Now that it seems I will see it no more.
I hear the peeweeps that endlessly soar
O'er the fields at Blawearie.

The peeweeps are flying, high over Blawearie,
Endlessly crying, calling me home.
But I cannot go to the fields of Blawearie
For I must remain in this cell at the Somme.
I am far from my land, the core of my being,
The land I helped carve with my Clydesdales
and plough.
For all I have loved I left at Blawearie
And nothing they do to me matters much now.

Chorus
Chae came to see me, a light in the darkness,
And spoke of the days we were happy and free,
And so for a while we were back at Blawearie,
Back in the fields that no more now I'll see.
There was no fond kiss as I left Blawearie,
No wave from Chris as I paused on the brae.
Our parting was bitter and I know I've lost her
But I've always loved her, you'll tell her that, Chae.

Chorus
We thought the War would last for a season.
Some welcomed the change from unending toil.
Now I'd gladly give all the black loam of this land
For a handful or two of Blawearie's red soil.
When I am dead will they send Chris a medal?
And say I died bravely for Country and King,
Or tell her of how I was killed by my comrades
And back to Blawearie, no honour will bring?

Chorus
Why am I here? It's time for the harvest
And I seemed to see the golden fields sway.
So I started walking back to Blawearie.
They found me at midday, ten miles on the way.
But maybe in time I can finish my journey,
If only in spirit, unfettered and free,
And then once again, I'll be at Blawearie,
The song of the sunset came too soon to me

EWAN

I dream once again I am back at Blawearie
And I am wae Ewan, we're young and it's spring
We hadnae much siller but loved ane anither
It cost not a penny tae hear the lark sing.

Lang then, we thocht, we wid bide at Blawearie
Under the spell o the circle o stanes
That nothing endures, sae little we heeded
For all that we strived for, what little remains

Blawearie, Blawearie, I dream o Blawearie
Between the dark mountains and shimmering sea
The sowing, the reaping, the peewits aweeping
And well may they weep for my Ewan and me

To us at Blawearie a bairnie sae bonnie
We held in oor airms the harvest o love
Tho far fae oor land a darker day dawning
Oor herts were as blithe as the skylark above.

Noo Ewan is gone like the mists o the morning
The sun and the rain the same tae him noo
And ower Blawearie a cauld wind is blawing
And sighs on the soil that waits for his ploo

Blawearie, Blawearie, I dream o Blawearie
Between the dark mountains and shimmering sea
The sowing, the reaping, the peewits aweeping
And well may they weep for my Ewan and me

Here in the Howe the bright burn's gleaming
Far fae the fields where my ain laddie lies
Slowly and sadly I wake from my dreaming
The lark stops its singing and falls from the skies

Away from the sun the shadows are fleeing
Oh Ewan, oh Ewan we loved not in vain
For you and Blawearie are part of my being
You're with me at sunset, then sunrise again.

BRAVEHEART

(a soldier's lament)

We all weep for the hero who has left us forever;
The brave heart of Wallace is beating no more,
But his spirit lives on in the fast flowing river
And high in the sky where the wild eagles soar.
No more is the hero but our shackles are shed,
No more to be serfs but be free men instead,
For Scotland we fought and for Scotland we bled
And we shared in the great days of Wallace.

Wallace the warrior, heart of the brave,
Never for him the deep, quiet grave.
They chained him and maimed him, he died a slave,
But the last word he cried out was Freedom.

They have harried our homes and set fire to the
heather,
The forest's aflame and the red deer have gone.
But freedom's a force that no tyrant can tether,
The stag that is slaughtered lives on in the fawn.
No more the swift arrow flies from his bow,
No more swings the sword so feared by the foe;
And harsh on the hillside the voice of the crow
For dark are the days without Wallace.

Wallace the warrior, heart of the brave,
Never for him the deep, quiet grave.
They chained him and maimed him; he died a slave,
But the last word he cried out was Freedom.

No dungeon can darken the eye of the dreamer.
The chains that restrained him were heavy and cold.
But a ray of the sun shone on the lost leader
And he saw the eagle in that gleam of gold.
No more streets of Stirling ring with his name,
No more now its minstrels sing of his fame.
But a nation is waiting to rise yet again
And the Bruce will replace William Wallace.

Wallace the warrior, heart of the brave,
Never for him the deep, quiet grave.
They chained him and maimed him; he died a slave,
But the last word he cried out was Freedom.

BEFORE CULLODEN

Oh Raven, seek thy brother
He is gone where eagles gather
The sky is thine,
The earth is mine
We've no tryst with one another.

Oh bird of evil omen.
You speak of fire and famine
Your voice is cursed
So fear I must
For I am only human.

Why Raven, do you hover?
The day is nearly over.
The sun has gone
You linger on
Go Raven, seek thy brother

If I your wings could borrow
I'd fly away from sorrow
For while you're here
Oh darkest seer
I think but of tomorrow.

Oh Raven, so foreboding
What brings you to Culloden
No vigil keep,
On our brief sleep
Go Raven seek thy brother.

AFTER CULLODEN

Oh no more they'll meet the morning
No more greet the golden dawn
See the whaup rise in the moorland
Hear its sad, heartbreaking song.

They were gone before their blossom
Buds of youth no time to flower
Scattered like the leaves of Autumn
Bare the trees and bleak, the moor.

They, the brave lie at Culloden
And the years their memory fade
Just a stone to mark the lost ones
But no birds sing in the glade.

Oh no more the suns of summer
See the snows of winter fall
On the lonely moor they slumber
Waiting for their chieftains call.

Still some nights the sounds of battle
Clashing steel and cries of woe
Fill the air above Culloden
As the tides of battle flow.

AMULREE

Chorus

*Amulree, oh Amulree
I hear the voices calling
Across the mighty sea.
For our time here isn't long
All too soon the Sunset Song
And I hope to hear that song
In Amulree.*

Oh, no more I'll take the wild road
Leave a tear at every bend
As I wandered from my childhood
Searching for the rainbow end.
At last I am returning
Where the peeweeps call to me
And the whaup cries in the skies
Above the hills of Amulree.

I only have to close my eyes
To let the shadows wane
And the morning mists are lifting
And the fields are fresh with rain.
The ewe and lamb still slumber
Beneath the rowan tree
And once again I wander
On the hills of Amulree.

For I've travelled on the highway?
Mighty cities I have seen
But now I long to linger
Where the fields are fresh and green
Where the thistledown is blowing
And the hare is running free
And the broom is in its blossom
On the hills of Amulree.

Let the sheilie sing his sweet notes
And a leafy vale adorn.
A sadder song reminds me
Of the place where I was born.
No gaudy bird of Summer
Can match his melody,
When the whaup cries in the skies
Above the hills of Amulree.

FIONA

Fiona my fair one, my sweet and my dear one,
I am so lonely since you sailed away.
I wake each morning, and I'm filled with longing
To meet you again on the shores of the bay.

The city it called you,
The bright lights enthralled you,
And I could not hold you, you longed to be free.
But as night falls, the raven returns to his haven,
So one day Fiona, you'll come back to me.

You say in your dreaming,
The bright seas are gleaming,
The mountains are rising
to meet the great sky.
The grey lags are calling
as darkness is falling.
Across the wide waters
you still hear them cry.

I stray to the sheiling to see the dawn stealing,
And warm as the peat fire my love ever burns.
The larks are ascending, their song never-ending
I'll sing the refrain when Fiona returns.

Fiona my fair one, my sweet and my dear one,
I am so lonely since you sailed away.
I wake each morning and I'm filled with longing
To meet you again on the shores of the bay.

WUTHERING HEIGHTS

I dreamt I was a girl again
And Heathcliff was a boy
And we were back at Wuthering Heights
I woke sobbing with joy
For once again I held his hand
We wandered wild and free
In our own enchanted land
Where once more I would be

He knew then as I know now
That we were fused with fire
A love for all Eternity
A love beyond desire
I let others come between
On just a foolish whim
But Heathcliff is a half of me
And I a half of him

Tell me Ellen, if you too
Can hear a step outside
Try to stop him if you will
'Tis trying to stop the tide
Ellen, now my time is brief
And I am filled with pain
All hope of heaven I would give
To see him once again

Is it really you my dear?
Or just another dream
And yet I see the raven hair
The eye with savage gleam
Heathcliff, you and you alone
My lonely heart delights
And soon my spirit will be free
To be at Wuthering Heights

Hold me in your warm embrace
Now that the die is cast
Bring closer that familiar face
For you are here at last
How I love to see you scowl
And oh, you seem so strong
Do you mean to live for years
When I am dead and gone?

Carry me to the balcony
For starry are the nights
And now my eager eyes can see
The moor at Wuthering Heights
I'm weary of this earthly life
Oh love beyond compare
But I'll be waiting at the moor
Until you join me there.

HOME TO HARRIS

Take me to the isle of wonder
Ever changing skies and seas
Hear the mighty breakers thunder
Harris of the Hebrides.

Roneval her watch is keeping
Towering o'er the lochs of Obbe
Where the starry salmon leaping
Sparkles in his silver robe.

Gleeful gulls adorn the morning
On the sands at Seilibost
Happy to outdo the mourning
Cormorants bewail the lost.

Dreams the silent seas of evening
Gleaming bright in silk attire
Mirror of immortal weaver
Seems the bay at Luskentyre.

Lochans glow in moonlight echoes
Languid lakes of liquid gold
Water lilies don their haloes
As the wings of daylight fold.

See the lights of Tarbert shining
Softly sings a Gaelic choir
Harris how my heart is pining
Pull me to your peaty fire

ISLE OF TIREE

I'm leaving the city my sweet Katherine.
Why don't you leave with me?
Over the sea to the island of dreams,
I'm going back to Tiree.
I've severed forever the city so grand,
Said my farewells and I'm free.
A curlew is calling from a distant strand,
Calling me back to Tiree.

Chorus
Tiree, Tiree, beautiful isle of Tiree.

We came to the city and good friends we made.
I tried so hard you'll agree.
But soon for me the pleasures would fade
And I dreamt again of Tiree.
The machair is blooming, the lambs are at play.
The breakers roll in from the sea.
There we gathered the garlands of May
Down by the bay at Tiree.

Chorus
Your eyes are as green as the sea, Katherine.
Your hair the gold of the shores.
Your voice is as sweet as the laverock unseen,
As high in the blue sky he soars.
The lochans are gleaming, caught by the sunbeams,
It's there that I'm longing to be,
Over the sea to the island of dreams.
Let us go back to Tiree.

THE PUNK

I met a punk…...He stunk

Hoo can Ah git aff when ah'm no even oan yit?

THE GUID AULD DAYS

Oh yeh want me tae tell yeh whit life wis like then
And why ah refer tae a lassie as hen.
So let's hae a donder and go back in time
And ah'll dae ma best tae recall it in rhyme.
Ah mind ma store number, it's still in ma heid,
Strippin a bit aff a new loaf o breed.
In Summer the pavements wi bubbles o tar,
The Doctor the only wan tae hae a car.
Snowfire in Winter tae pit on yir lips,
The treat yeh liked best, red puddin and chips.
A fire in the gairden, whit fun in the dark,
And roastin some totties until they are black.

Goin tae the pictures tae see Rin Tin Tin,
A dug jist as famous as big Errol Flynn.
Up in the balcony watchin the show,
Drap apple runts oan the bairnies below.
Roond the piano tae sing Rowan Tree,
Maggie, Ramona, a Crooked Bawbee.
Hoo we wid grin when a dug took a mate
And a pail o cauld water wid soon separate.
Goin tae the skuil and within the grim waws,
Huddin yir hand oot and doon comes the tawse.
Tellin yir faither and aff wi his belt,
And tak this and that for no daen whit yir telt.

Makin a bogey wi wheels fae a pram.
Ah, the first taste o wild raspberry jam.
Fawin in the nettles and grittin yir teeth,
Rubbin yir lig wi a big docken leaf.
Goin tae the tossin behind the pit bing,
Then tae the dookie tae leam tae swim.
Fitbaw wis fun wi a wee tanner baw,
Paldies wi polish tins, tamin a craw.
Cawin the rope and in goes wee Eck,
We try oor hardest tae lassoo his neck.
Diggin fir cobs fae an auld docken root,
The best bait of aw fir catchin a troot.

Pittin oan records and tryin tae sing,
Like Nelson Eddy, Al Jolson or Bing.
Here comes oor Erchie as drunk as a newt,
Best man at a weddin but whaurs the scoor oot.
Havin a crush oan the lass up the stair,
Lagerin brylcream all over yir hair.
The Gala Day aye the event o the year,
Hip, hip hooray the wee bairnies cheer.
Led by the pipe band aw roond the toon,
The brass band behind playin a different tune.
Aye some things are better noo, ithers are worse,
But is it no time for ma cocoa noo, Nurse?

THE IMPOSTER

Ah met a felly fae Lochgelly
At the Palais, Cowdenbeath.
Oh his hair wis black and curly
And he had such lovely teeth.
They wir maybe no his ain teeth,
Hoo wis ah tae know,
And that felly fae Lochgelly
Stole ma hert awoh.
He asked me for the last dance
And then tae see me hame.
Ma hert wis all a flutter as ah said
'Aye, whit's yir name?'
Ah'm a felly fae Lochgelly,
Is that no guid enough?
Then said 'It's Pat McCollie.'
Jist in case ah took the huff.

Dae yeh fancy a fish supper
Ah heard Pat McCollie say.
So we went in tae a chip shop
And he said that he wid pay.
Ah thocht ah wis in clover
As we walked doon Cuddy Road.
Ah wid say ah've nivver tasted
Such a lovely bit o cod.
The chips wir jist as tasty
and a bonny shade o broon,
Wi some salt and vinegar,
the finest in the toon.

Oh that felly fae Lochgelly
Fulfilled ma every wish,
And ah niver think aboot him
Withoot thinkin aboot fish.
He promised he wid ring me
Bit ma phone it niver rang.
Ah gret for a day or twoh
And then ah said 'Tae hang!'
Wis Pat McCollie his real name
Ah did begin tae doot
And there's better fish still in the sea
Than ever that came oot.
But ma legs still turn tae jelly
At the mention o his name.
If ah meet another felly
Could it ever be the same?

Ah've got a dug for company
Tae let yeh understand,
But dinny pat ma collie
Or he micht tak aff yir hand.
And when ah watch the telly
Ma hert will miss a beat.
There's a felly like ma felly
Oan thon Coronation Street.
And sometimes oan Come Dancing
A waltz played soft and low,
And ah think o the felly
That stole ma hert awoh.

MY PRETTY LADY

It's time to say goodbye, my pretty lady,
Our love affair has lingered on too long.
Can't you see the Summer flowers have faded,
The nightingale has ended its sweet song.

We've had the good times and the glad times,
We've climbed to where the eagles soar.
Now we're in the sorry and the sad times,
And I just can't take it anymore.

You're free to go, my pretty lady,
Let's forget the sorrow and the pain.
Don't look behind you when you're leaving,
Your dark eyes might beguile me once again.

Where did we go wrong, my pretty lady,
It seemed at first our love was meant to be.
We dreamed of walking hand in hand forever,
On golden sands beside the silver sea.

We've had the days of wine and roses,
Lost now in the mist, or so it seems.
For the door that opens often closes,
And leaves behind reality, not dreams.

You're free to go my pretty lady,
See the sun is shining through the rain.
Don't look behind you when you're leaving,
Your dark eyes might beguile me once again.

The driver's awoh withoot me

NOTES ON POEMS AND SONGS

The Dear Green Place
Glasgow was referred to as the dear green place in times gone by when it was a series of villages joined by fields and lanes. I use the phrase to describe Scotland in general but one's own home in particular.

Ladies Choice At The Palais
Many of us started dancing at Cowdenbeath Palais. The instructor at the time was a Kelty cobbler called Wullie Erskine who had lost a leg. He scorned the use of an artificial limb and using a crutch demonstrated the dances with his partner. Though it was called Old Time Dancing new dances would come out bearing such exotic names as the Exhibition Rhumba, the Starlight Saunter and the Mississippi Dip. If a girl gave a boy a Ladies' Choice he would sometimes pluck up courage to ask to see her home, miss the last bus, and have a long walk to his own home.

The Grand Circle
This poem is featured in *Going To The Pictures* published by the National Museum of Scotland.

The Crane
This poem is based on a childhood tongue twister.

Workin Doon The Pit
The illustration is adapted from an old etching.

Lassodie
My grandfather was the winding engine man at Lassodie Pit This song has been recorded by Gifford Lind.

The Pit Pony
My father went down the pit at Lassodie at the age of thirteen to look after the pit ponies.

The Bubbly Bairn
During after the last war, children played many street games such as *Billyhorn* and *Kick Can Thirty*. In *Truths and Dares*, one of the dares was to stand in the middle of the street and shout out 'Ah'm ma Maw's big bubbly bairn.'

Metamorphosis
Children have always loved horror films. We were fascinated by the stars with great names, like Bela Lugosi, Boris Karloff and Lon Chaney in films like Dracula or The Wolf man as they underwent a metamorphosis.

The Baffie Man
Baffie is the Fife word for carpet slippers. In Kelty, during the War, the blackout was in force for the first few years and the streets were very dark at night.   As children we were frightened by the mention of the Baffy Man. Blairinbathie is part of the countryside near Kelty.

The New Teacher
This song was first recorded by Crooked Jack, then by Stephen Quigg, Bruce Davies, Nell Hannah, Ann Pack and Gaberlunzie, and sung by many others, among them Ronnie Browne of The Corries. It has featured many times on radio including two Hogmanay Ceilidhs and Ruth Wishart's programme *Speaking Out*.

The Last Bus to Kelty
Prize winner, Fife Libraries Creative Writing Competition.

The Egg Timer
After starting as an apprentice with Kelty Co-operative joiners and Undertakers, I heard the standard jokes associated with undertaking and I have brought several of these together in this poem.

Ducks
We kept a pair of appleyard ducks for a while, They were called Freddie and Frieda.

Neeps
When I first saw sheep in a neep field , I thought they had broken into the turnip field and were destroying the crop .

The Gairney Gleams
My father was trapped underground by a roof fall at the Lindsay Colliery. He dreamed of his favourite burn where he and my mother often walked.

Wullie
The Theme is taken from an old book and film, Owd Bob. Will Fyffe starred in one of the films as a grumpy old shepherd.

Ma Mither Milked The Turra Coo
The singer, Nell Hannah's mother, Nellie Josephs, milked the famous cow when employed at Mc Terry, Fyvie. When Lloyd George introduced the first National Health Insurance Act, some farmers including the cow's owner, Robert Paterson of Lendrum Farm, Turriff. refused to co-operate The cow was poinded and taken to be sold first at Turriff where it was set loose by sympathisers, and then at Aberdeen.

Before Culloden
According to Wilfrid Thesiger, when a camel caravan in Southern Arabia would sight a single raven overhead, the Bedouin would attempt to annul the evil by calling to it *Raven, seek thy brother*.

The Tay Salmon
The British record for a salmon caught with rod and line is held by Georgina Ballantine who was eighteen years of age when she hooked the sixty four pound salmon in the Tay at Caputh in 1922. Her father James, was boatman at the Glendelvine estate. P.R.I. is Perth Royal Infirmary.

Sunset Song
In World War 1, forty three Scots, including some as young as seventeen, were shot by firing squads

for crimes such as sleeping on duty, being absent from parade or most commonly, cowardice. In fact, many of them suffered from shell shock, not recognised as a medical condition until 1915. This song is derived from an episode in *Sunset Song* by Lewis Grassic Gibbon.

Ewan Tavendale is imprisoned in France awaiting execution by a firing squad. He is visited by his old friend and neighbour Chae Strachan ,and Ewan tells him of how he suddenly thought, 'Why am I here? I should be at Blawearie.

He starts walking home, was arrested by the Military Police and taken back to be tried and sentenced. Shortly after Chae's visit, in the words of the author, 'They killed him that morning.'

Ewan
Like Sunset Song, this song is based on Grassic Gibbons book. In it, Chris mourns the loss of her husband.

Am Ah gled tae see a human face again.

ABOUT THE AUTHOR

Jim Douglas is a man of many parts. Born at Braewell Cottage, Kelty in 1933, he was educated at Kelty Public School and Beath High School, Cowdenbeath. Sports Champion at both schools, he represented Beath and was a finalist at the Scottish Inter Scholastic Sports at Westerlands, Glasgow, subsequently winning many trophies for sprinting.

On leaving school he ran at the Highland Games for several seasons then, on joining Dunfermline Carnegie Club, gymnastics became his principal sport.

After serving an apprenticeship as a joiner with Kelty Co-operative Society, he was called up for National Service in 1953. Most of his two years was spent with No 2 Field Squadron, RAF Regiment in Iraq, stationed at Habbaniyah, Shaibah and Sharjah. After initial training as a gunner driver he was appointed squadron artist, painting such diverse subjects as vehicle crests, posters and portraits. At one stage he was transferred to the Trucial and Oman Levies for a month to repaint all the drums for their pipe band. Maintaining his interest in athletics and gymnastics he won several sprint titles during his stay in Iraq.

After National Service he trained at Pinderfields General Hospital, Wakefield as a Remedial Gymnast and worked for eight years at the Rehabilitation Unit, Bridge of Earn Hospital. While employed there he was asked to execute medical illustrations for several of the consultants and his drawings appeared in the British Journal of Surgery and other publications.

In 1965 he obtained a place at Glasgow School of Art taking his diploma in Design, specialising in Jewellery and Silverwork and winning a travelling bursary.

After teacher training at Jordanhill College of Education he taught Art at Perth Academy, Kinross High School and Silverwork to adult evening classes at Perth Technical College.

Jim left teaching in 1988 to concentrate on his own work. His paintings, cartoons and silverwork have appeared in many group exhibitions such as The Glasgow Institute of Fine Arts and one man shows including Eden Court Theatre, Inverness, Fife Libraries and Buckhaven Community Centre.

Other aspects of his work include logo design, calendars, CD and cassette covers, landscape and caricature. He has illustrated several books such as *The Walkers Guide to the Wade Roads and Fair upon Tay*, a Tayside Anthology.

Many of his paintings are in private collections including three owned by the Royal Family, one hanging in Sandringham and two at Balmoral Castle, one of which depicts Braemar Highland Games.

Jim is in great demand as a speaker and entertainer all over Fife and Tayside at schools, Probus, Rotary Clubs and other organisations. His writing has won several awards and he was second in a Fife Libraries Creative Writing competition with his poem *The Last Bus tae Kelty*, third in the competition run by The Sunday Post and the Scottish Pie Club for *Ode to the Pie* and a prizewinner in the William Wallace song writing contest by Stirling Initiative. Recently his song *The Turra Coo* was included in a book *Remembering Perthshire* and poem *The Grand Circle* in *Going to the Pictures*, published by the Scottish National Museum.

Several of his songs and poems appear on other artistes, CDs, the best known being *The New Teacher,* recorded ten times to date and featured many times on radio including two Hogmanay Ceilidhs and programmes such as Ruth Wishart's *Speaking Out.* Others have been used in Billy Kay's *People's History.*

Mining village life is a constant theme in the artist's work, and he has produced a series on coalmining, Alexanders buses, football and fishing. Other paintings depict such activities as dancing, dog racing and pigeon keeping. He took part in the *When Coal was King* exhibition at Kirkcaldy Art Galleries and Museum, showing cartoons and performing at the Theme Concert. An exhibition of his work was presented at the Scottish National Mining Museum at Newtongrange in July 2003.

Jim, presently residing at Glenfarg, has four of a family. His three grandchildren take a keen interest in his work and as readily available models, often appear in his cartoons and paintings such as the Kelty Millenium Mug and the CD covers for the New Makars Trust *Between the Tay and the Forth* and *Life in the Kingdom.*

Who let him oot the cage

The Tossing School

Front cover caption – He stood tae lose fifty quid if it didnae clock in
Back cover caption – This is what's known as a movin belt, Smith